GW00778558

EL PODER de las HADAS

Diseño de portada: Editorial Sirio, S.A.

© de la presente edición
   EDITORIAL SIRIO, S.A.   Nirvana Libros S.A. de C.V.   Ed. Sirio Argentina
   C/ Panaderos, 9   Calle Castilla, n° 229   C/ Castillo, 540
   29005-Málaga   Col. Alamos   1414-Buenos Aires
   España   México, D.F. 03400   (Argentina)

www.editorialsirio.com
E-Mail: sirio@editorialsirio.com

I.S.B.N.: 84-96595-02-1
Depósito Legal: B-14.917-2006

Impreso en los talleres gráficos de Romanya/Valls
Verdaguer 1, 08786-Capellades (Barcelona)

Printed in Spain

GEORGE GUZMAN

EL PODER de las HADAS

HOJAS DE LUZ
EDITORIAL

Introducción

Hasta hace poco, la palabra "hada" solía evocar en la imaginación un tipo muy concreto de ser fantástico: femenino, bondadoso y con poderes mágicos, que, en los cuentos, ayudaba siempre a la protagonista —o al protagonista— a salir victoriosos cuando eran víctimas de una injusticia.

En este libro vamos a considerar el término *hada* en un sentido más amplio y al mismo tiempo más real, incluyendo en él a todos los espíritus de la Naturaleza: hadas, duendes, elfos, genios, gnomos y demás seres incorpóreos que han formado siempre parte inseparable de los mitos y leyendas de las más diversas culturas.

Curiosamente hemos llegado a un punto en la evolución de la humanidad en que lo fantástico —en el sentido de maravilloso y asombroso— no es ya lo imaginario, sino lo real. Así, en las páginas que siguen, al tiempo que examinamos el rico mundo del folclore, los mitos y las leyendas, vamos también a tener en cuenta los testimonios de personas actuales, hombres y mujeres que han tenido encuentros con estos seres espirituales, recibiendo de ellos mensajes que, simplemente por su belleza, merecen ser transmitidos y difundidos.

Por otra parte, cualquiera que aplique seriamente la imaginación al estudio de la realidad pronto descubrirá que la frontera entre lo maravilloso y lo positivo, o dicho de otra forma, entre el mundo visible y el invisible, es en verdad muy tenue. La probabilidad de que existan otros universos paralelos al nuestro parece cada vez menos fantasiosa. Y ésta es una idea que encontramos constantemente en diversos campos de la investigación científica contemporánea.

Pero éste no es un libro de ciencia, aunque tampoco es un cuento. Pretende ser simplemente un viaje por ciertos dominios todavía poco explorados, entre los que se incluyen otras dimensiones de la realidad distintas a lo que percibimos cotidianamente. En él se intercala lo imaginario y lo verdadero, la fantasía y la realidad. El poco tiempo disponible y lo precario de mis conocimientos no me han permitido profundizar todo lo que yo hubiera querido en esta exploración. Por ello, me limito a mostrar testimonios de otros, a esbozar hipótesis y a intuir unas vías de comunicación entre el nuestro y otros planos de la existencia, que para muchos siguen siendo tierra prohibida y de los que yo tan sólo he tenido fugaces vislumbres. Cuando exista más información objetiva sobre estos mundos, hoy todavía misteriosos, seguramente se verá que mucho del contenido de estas páginas es inexacto. Soy consciente de ello y desde aquí, doy las gracias a quienes han ayudado a hacerlas posibles.

El Reino de las MADAS

Las gentes de la antigüedad, por supuesto, aceptaban el reino de las hadas, los duendes, los gnomos y multitud de otros espíritus de la Naturaleza, unos favorables al hombre y otros malignos, y lo aceptaban sin cuestionarlo, como un hecho de su experiencia directa. En el hombre moderno, sin embargo, los órganos de percepción del mundo suprasensible se han atrofiado. Esto es parte del precio que hemos debido pagar por la evolución de la mente analítica. Mientras el ser humano estuvo vinculado con la Naturaleza podía descifrar perfectamente sus mensajes. El viento, los árboles, los animales y la lluvia nos hablaban todo el tiempo. Hoy siguen haciéndolo, pero al menos en el mundo occidental, hemos olvidado su lenguaje. El desarrollo tecnológico ha traído consigo un aislamiento del ser humano, una separación de la Naturaleza y de los otros seres que habitan en ella.

En el pasado los celtas, los griegos y los romanos rindieron culto y consagraron altares a los espíritus de la Naturaleza. Los árabes de todas las épocas los respetaron y los temieron (los llamados *djins*) Las tradiciones y las escrituras sagradas del sub-continente indio están repletos de referencias a ellos (los devas) y el folclore de los nativos americanos menciona constantemente a estos elusivos habitantes de los montes, las praderas, los bosques, ríos y lagos. Curiosamente, en las zonas rurales de todas las partes del mundo la gente se comporta igual frente a ellos, tomando las mismas medidas de precaución y respetando los mismos tabúes. En Occidente los hemos encontrado siempre en la fantasía popular, en la mitología y en las canciones infantiles, pero recientemente se han adueñado de un nuevo campo. Internet rebosa de hadas, gnomos, genios, duendes, elfos y *trolls*. ¡Bienvenidos sean!

Pero, ¿cómo son exactamente?

Debido a la influencia cristiana, a veces se les atribuye a las hadas una cierta asociación con los ángeles y, en algunos cuentos, los ángeles llegan a asumir el papel de las hadas; sin embargo, tal vez esto sea erróneo, pues las hadas no siempre tienen aspiraciones morales o espirituales aunque sí muestran una relación estrecha con la Naturaleza. Según una tradición bretona, las hadas en realidad descienden de los ángeles. Cuando se desencadenó la guerra en los Cielos, los que lucharon junto a Dios se quedaron en el Cielo, los ángeles de Lucifer se marcharon con él al infierno, mientras que los que permanecieron neutrales manteniéndose alejados de ambos bandos se quedaron en la tierra como hadas. Algunas tradiciones han asociado a las hadas y a los ángeles con los fallecidos y equiparan el mundo de las hadas con el reino de los muertos, puesto que éstas suelen vivir en cúpulas subterráneas.

En su librito *Los espíritus de la Naturaleza*, el obispo Charles W. Leadbeater nos ofrece una detallada descripción de estos seres, explicando las distintas líneas evolutivas en las que se han formado y acentuando las grandes diferencias que existen entre ellos, desde los grandes devas, que serían como ángeles majestuosos, hasta los diminutos y efímeros seres parecidos a chispas de luz, y cuya responsabilidad sería algún aspecto concreto del crecimiento de una flor o de una planta. También menciona a otros, que él considera formas mentales y sin vida propia. Dice el famoso teósofo:

> *Los espíritus de la naturaleza, a quienes debemos considerar como unos de los habitantes autóctonos de la Tierra, han sido expulsados de diversas partes de ella por la invasión del hombre, análogamente a lo ocurrido con los animales salvajes. Del mismo modo que éstos, evitan por completo las ciudades populosas y todo lugar en que se reúnan muchedumbres humanas, por lo que allí apenas se nota su influencia. Pero en los tranquilos parajes rurales,*

en bosques y campos, en las montañas y en alta mar, están siempre presentes, su influencia es poderosa y omnipenetrante, de la misma manera que el perfume de la violeta embalsama el ambiente aunque esté oculta entre la hierba.

Estos seres siguen una evolución aparte, completamente distinta de la evolución humana... El tipo mejor conocido por el hombre son las hadas. Viven normalmente en la superficie de la tierra, aunque como su cuerpo es etéreo, pueden atravesar a voluntad la corteza terrestre. Sus formas son múltiples y variadas, pero generalmente tienen forma humana de tamaño diminuto, con alguna grotesca exageración de una u otra parte del cuerpo. Dado que la materia etérea es plástica y fácilmente modelable por el poder del pensamiento, son ca-

paces de adoptar cualquier aspecto que les plazca, si bien tienen de por sí formas peculiares que llevan cuando no necesitan tomar otras con un determinado propósito. También tienen colores propios que distinguen unas especies de otras... Hay un inmenso número de razas de hadas cuyos individuos difieren en inteligencia y aptitudes, lo mismo que ocurre entre los hombres. Análogamente a los seres humanos, cada raza mora en distinto país y a veces en diferentes comarcas de un mismo país, y los individuos de cada raza tienden generalmente a mantenerse en vecindad como sucede con los hombres de una nación...

Para el famoso médico Theophrastus Phillippus Aureolus Bombastus von Hohenheim, más conocido como Paracelso (1493-1541), las hadas, gnomos, duendes y demás espíritus de la Naturaleza no deberían ser llamados espíritus, pues su sustancia no es espiritual, sino material, aunque mucho más sutil que la nuestra. La descripción que nos dejó de estos seres es muy detallada, coincidiendo en gran parte con la de Leadbeater. Dice Paracelso:

Hay dos clases de carne, una que viene de Adán, y otra que no viene de Adán. La primera es material y grosera, visible y tangible para nosotros; la otra no es tangible y no está hecha de tierra. Si un hombre que desciende de Adán, quiere pasar por una pared, tiene primero que hacer un agujero en ella; pero un ser que no desciende de Adán, no necesita hacer ningún agujero o puerta, sino que puede pasar por la materia que nos parece sólida, sin que le cause ningún daño. Los seres que no han descendido de

Adán, igual que los que de él han descendido, tienen cuerpos sustanciales; pero existe tanta diferencia entre la sustancia que compone sus cuerpos, como la que hay entre la Materia y el Espíritu. Sin embargo, los elementales no son espíritus, porque tienen carne, sangre y huesos; viven y propagan su especie, comen y hablan, duermen y hacen sus vestidos... por consiguiente no pueden propiamente ser llamados "espíritus". Son seres que ocupan un lugar entre los hombres y los espíritus, pareciéndose a los hombres y mujeres en su organización y forma, y asemejándose a los espíritus en la rapidez de su locomoción. Son seres intermedios... Ni el agua ni el fuego pueden dañarles, y no pueden ser encerrados en nuestras prisiones materiales. Están, sin embargo, sujetos a enfermedades.

Viven en los cuatro elementos: las Ninfas en el agua, las Sílfides en el aire, los Pigmeos en la tierra, y las Salamandras en el fuego. Se les llama también Ondinas, Silvestres, Gnomos, Vulcanos, etc. Así como los peces viven en el agua, que es su elemento, así cada ser vive en su propio elemento. Por ejemplo, el elemento en que el hombre respira y vive es el aire; pero para las Ondinas el agua representa lo que el aire para nosotros. El elemento de los Gnomos es la tierra, y atraviesan las rocas, paredes y piedras como un espíritu, porque tales cosas no son para ellos más grandes obstáculos de lo que el aire es para nosotros. En el mismo sentido, el fuego es el aire en que viven las Salamandras; pero los Silvestres o Sílfides son los que se hallan en más cercana relación con nosotros, porque viven en el aire como nosotros... Los espíritus de la naturaleza tienen también sus reyes y reinas. Los animales reciben su vestido de la naturaleza; pero los espíritus de la naturaleza lo preparan por sí mismos. La omnipotencia de Dios no se limita sólo a cuidar al hombre, sino que se extiende a cuidar también de los espíritus de la naturaleza y de muchas otras cosas de las que los hombres no saben nada. Todos estos seres ven el sol y el firmamento lo mismo que nosotros, porque cada elemento es transparente para los que viven en él. Así pues, el sol brilla a través de las rocas

para los Gnomos, y el agua no impide a las Ondinas ver el sol y las estrellas; tienen sus primaveras e inviernos, y su "tierra" les produce frutos; porque cada ser vive del elemento de que ha brotado. Con respecto a la personalidad de los elementales, se puede decir que los que pertenecen al elemento del agua se parecen a los seres humanos de ambos sexos; los del aire son más grandes y más fuertes; las Salamandras son largas, delgadas y secas; los Pigmeos o gnomos miden dos palmos de estatura, pero pueden extender o alargar sus formas hasta parecer gigantes. Los elementales del aire y el agua, las Sílfides y Ninfas, son de bondadosa disposición para con el hombre; las Salamandras, no lo podemos saber a causa de la naturaleza ígnea del elemento en que viven, y los Pigmeos suelen ser de naturaleza maliciosa. Estos construyen casas, bóvedas y edificios de

extraño aspecto con ciertas sustancias desconocidas para nosotros. Disponen de una clase de alabastro, mármol, cemento, etcétera; pero estas sustancias son tan diferentes de las nuestras como la tela de una araña es diferente de nuestro lino. Las Ninfas poseen sus residencias y palacios en el agua; las Sílfides y Salamandras carecen de morada fija. En general, aborrecen a personas presuntuosas y obstinadas, tales como los dogmáticos, científicos, borrachos y glotones, así como a los pendencieros y gentes vulgares de todas clases; pero aman a los hombres naturales, que tienen mente sencilla y son como los niños, inocentes y sinceros; cuanta menos vanidad e hipocresía haya en el hombre, más fácil les será acercarse a él;

pero en caso contrario, son tan reservados y huraños como los animales silvestres...

Tienen viviendas y vestidos, métodos y costumbres, lenguaje y gobierno propios, en el mismo sentido que las abejas tienen sus reinas y las manadas de animales salvajes su jefe. Algunas veces se les ve bajo diversas formas. Las Salamandras han sido vistas como bolas o lenguas de fuego corriendo en los campos o apareciendo en las casas. Ha habido casos en que las Ninfas han *adoptado la forma humana y han entrado en unión con el hombre. Hay ciertas localidades en que gran número de elementales viven juntos, y se ha dado el caso de que un hombre haya sido admitido en su comunidad y haya vivido con ellos algún tiempo, y que se hayan hecho visibles y tangibles para él... En las leyendas de los santos se hace alusión a los Espíritus elementales de la Naturaleza llamándolos muchas veces "diablos", nombre que no merecen...*

En el norte de Francia se cuenta una leyenda que viene a relacionar las hadas con los megalitos. Según relatan los bretones, los *korred*, otros habitantes del mundo de las hadas, intervinieron en la construcción de los dólmenes. Los *korred*, que poseían una enorme fuerza, acarrearon las grandes piedras a sus espaldas y luego las agruparon en círculos. Después se escondieron en cuevas bajo esas mismas piedras. En Francia, por ejemplo, entre los nombres con que denominan a los menhires y dólmenes están Roca de las Hadas,  Piedra de las Hadas, Gruta de las Hadas, dejando constancia del supuesto origen de estos monumentos megalíticos. A veces culpan también a las hadas de los desprendimientos de piedras, pues según ellos, las hadas las llevan en sus faldas y luego las arrojan, provocando desgracias.

Las personas que han tenido encuentros con hadas, gnomos y otros espíritus de la Naturaleza los definen como alegres y tristes, bromistas y pesados, amistosos y vengativos, complacientes, llenos de odio y destructivos, según sea el momento. Se podría decir que son como la Naturaleza, que presenta múltiples caras. Estos seres mágicos desconfían del hierro y del acero, ya que en la época de su origen, no existían. Al mismo tiempo saben ser hábiles herreros y tienen fama de ser excelentes plateros y orfebres.

En general las hadas rechazan la industrialización y la técnica. No les gustan los hombres que adoptan los modernos estilos de vida. No sienten respeto por las cosas materiales, para gran desafío de los humanos. Entre las cosas que les gustan especialmente están la música y el baile, viajar en grupos, y practicar deportes como el lanzamiento de jabalinas y otros objetos. Frecuentemente recurren a un ser humano para que esté junto a ellos cuando participan en una competición de lanzamiento, a fin de obtener fuerza de él. Les gusta el orden, la pulcritud y el aseo, tanto en la casa como en la granja y tienen el poder de hacer que crezcan los cultivos. Tienen siempre fuentes o baldes de agua clara y limpia, para lavar a sus bebés. Les entusiasman los pasteles, especialmente si les son servidos junto a platos de leche o crema. Aprecian la afectuosa hospitalidad, la generosidad, las buenas maneras, la alegría, la honradez y la sinceridad. También les encanta "tomar prestados" artículos de los seres humanos, como comida, herramientas, fuego, etc. Les gustan

los cabellos dorados, sobre todo en mujeres bellas y jóvenes y la ropa brillantemente coloreada. Es sabio siempre tratarlos con respeto, incluso más que a los seres humanos. Pero lo que tal vez más estiman es su privacidad. Detestan ser espiados o interrumpidos. Sin embargo, ocasionalmente dan la bienvenida a un forastero que sabe entrar en sus fiestas con originalidad y alegría pero este es un asunto arriesgado y no para cualquiera. Se dice que, conociendo la invocación adecuada o entonando un determinado canto o una rima, un mortal puede internarse en el mundo de las hadas. En cierta ocasión, un hombre vio una densa polvareda que se movía y la identificó con un grupo de hadas

voladoras. Entonces gritó una palabra y fue arrastrado hacia los aires para pasear con ellas. Otra historia relata que un hombre jorobado oyó a las hadas que en su fiesta estaban cantando una monótona y repetitiva cancioncilla que decía en galés "¡Lunes, Martes…!" El hombre, oculto tras una pared y sin ser visto, intervino añadiendo: "¡Y miércoles, también!" Las hadas estuvieron tan encantadas de poder concluir la canción (en la que al parecer se habían quedado atascadas sin saber continuar) que se lo llevaron para seguir la fiesta junto a ellas, y antes de devolverlo a este mundo le quitaron la joroba de su espalda. Sin embargo otro que, intentando que le hicieran la misma cura, intervino en la canción, pero lo hizo sin ritmo y fuera de tono, sólo logró enojarlas. Así, en lugar de quitarle su defecto, lo que hicieron fue aumentárselo, añadiéndole la joroba que le habían quitado al primer hombre. Lo que parece fuera de toda duda

es que no resulta fácil introducirse en el mundo de las hadas, pues evitan siempre al ser humano, a menos que deseen algo de nosotros.

En el antiguo relato de Eliodorus, que cuenta Giraldus Cambrensis (1146-1223), se dice que las hadas no comen ni pescado ni carne, sino que viven de una dieta a base de leche aderezada con azafrán. Si sus propios animales, por alguna razón, no dan suficiente leche o si simplemente tienen ganas de tomar la leche de las vacas de los humanos, no dudan en dejar vacías unas pocas ubres. Como protección contra esta posibilidad, se dice por todas partes que se han de atar a los cuernos de los animales unas piedras perforadas que reciben el nombre de "dioses de las gallinas".

Se cree que estos seres no se comen los alimentos, sino que extraen de ellos su esencia etérea. "En otras palabras", dice Lewis Spencer, "las hadas se alimentan normalmente de cosas que son propias de los hombres, pero de las que ellas extraen el 'alma', la esencia, dejando a un lado la parte ya exenta de jugo". Esto mismo se cree en el norte de la India. Los campesinos están convencidos de que "ellos" pueden absorber la esencia de la leche, del suero o de la carne sólo con mirarlas. Aparte de esto, les encanta la

miel, así como casi cualquier tipo de dulces. Les gusta toda la fruta, pero las fresas son tal vez sus preferidas. En Baviera, antes de subir el ganado a los pastos se les ata a las vacas cestos con fresas y rosas entre los cuernos como una ofrenda para las hadas. En un conocido cuento inglés, las hadas del bosque protegen a un hombre, porque éste antes le había dado leche y agua de un manantial a una anciana.

Además de a las fresas, las hadas del bosque son aficionadas a los huevos de perdiz y a los arándanos y también permiten que la gente les pague sus servicios con leche y pan blanco. Los cuentos de hadas están repletos de alimentos que las hadas u otros seres de la Naturaleza entregan a los humanos con la intención de hechizarlos, pero esto son sólo cuentos. Veamos seguidamente la percepción que se tiene en diversos países de estos seres mágicos.

Las *Hadas* en Inglaterra

La literatura y la historia inglesa están llenas de encuentros con hadas, duendes, gnomos y demás espíritus de la Naturaleza. John Beaumont, hablando con las hadas en el siglo XVII, les preguntó una vez qué clase de seres eran. Le contestaron que eran "criaturas de un orden superior al género humano, que podían influir en nuestros pensamientos y que su morada estaba en el aire". El pastor escocés Robert Kirk, que escribió en 1691 *La Comunidad Secreta de los Elfos, Faunos y Hadas*, y de quien se cuenta que lo raptaron las hadas por divulgar sus secretos y por haber tenido la temeridad de caminar por un montecillo que les pertenecía a ellas, escribió: "Se dice que estas hadas son de una naturaleza intermedia entre el hombre y el ángel. Son de espíritu inteligente y laborioso y cuerpo mutable y sutil, con una naturaleza parecida a la de una nube condensada, y se ven mejor en el crepúsculo. Estos cuerpos resultan tan fáciles de manejar para

los sutiles espíritus que los habitan, que pueden hacer que aparezcan y desaparezcan a su antojo". Dice también que sus cuerpos están hechos de "aire solidificado". "Su vestimenta y su lenguaje son similares a los de la gente del país en que viven... Se dice que tienen gobernantes aristocráticos y leyes... que se distribuyen en tribus y órdenes y tienen hijos, niñeras, matrimonios, muertes y entierros parecidos a los nuestros... Sus principales vicios son la envidia, el rencor, la hipocresía, los embustes y el engaño". Pero en el mismo tratado añade: "Estos fabulosos personajes aéreos no tienen tanto ímpetu y tendencia hacia cualquier vicio como el hombre, al no estar imbuidos en un cuerpo tan grande y lleno de escoria como lo estamos nosotros, algunos de ellos hacen más intentos que los demás por realizar acciones heroicas, teniendo las mismas medidas de virtud y vicio que nosotros, y esperan la evolución hacia un estado de vida superior y más espléndido. Una sola hada es más fuerte que muchos hombres, pero no son propensas a causar daño al género humano, a no ser que se les dé el encargo de castigar alguna falta grave o que se las moleste especialmente.

El historiador galés Giraldus Cambrensis les adjudica una moralidad un poco mejor: "Estos hombres de mínima estatura, pero muy bien proporcionados en su constitución, eran todos de complexión clara, con un abundante cabello que les caía sobre sus hombros, como el de las mujeres. Tenían caballos y galgos adaptados a su tamaño. No comían carne ni pescado, sino que vivían siguiendo una dieta de leche, preparada con azafrán para formar un potaje. Nunca juraban, porque no había nada que detestaran tanto como la mentira. Cada vez que regresaban de nuestro hemisferio superior, reprobaban nuestra ambición, infidelidades e inconstancia, carecían de toda forma de adoración

pública, al ser, según parecía, amantes y adoradores de la verdad". Ralph de Goggeshall y Gervasio de Tylbury también hablan de las hadas como de gente pequeña, pero otros cronistas ingleses de la Edad Media afirman que son de estatura normal. Lo cierto es que en los cuentos de hadas pueden variar desde un tamaño mayor al de los hombres hasta el del diminuto duende que duerme en una flor de campanilla. Ya a principios del siglo XX, el estudioso Evans-Wentz manifestaba que las hadas son "una raza especial, situada entre la nuestra y la de los espíritus", mientras que Nutts las llama "los poderes de la vida". La mayoría de los escritores ingleses que han dejado crónicas sobre estos seres dicen que poseen una organización social con realeza: hay reinas de hadas y reyes de duendes.

La historia no oficial de los pueblos británicos está llena de episodios en los que intervienen hadas, gnomos, duendes y otros seres incorpóreos habitantes de los campos y los bosques; así, por ejemplo, en la biblioteca del estado de Nueva York se conserva un microfilm del manuscrito de Moses Pitt, fechado en

1696, en el que se cuenta con todo detalle el caso de Anne Jefferies, muy famoso en su época y sobre el que se compusieron canciones y romances que han llegado hasta nuestros días. Anne Jefferies, una joven de Cornualles, de diecinueve años, fue visitada —y al parecer raptada— por un grupo de duendes de muy reducido tamaño. Al volver otra vez a este nivel de conciencia, la joven estuvo un tiempo muy aturdida, sufriendo esporádicamente sacudidas y espasmos semejantes a los ataques epilépticos. Cuando tras cierto tiempo recuperó la salud, demostró poseer un milagroso don de sanación, aliviando e incluso curando cualquier dolencia con sólo tocar a la persona enferma en la parte del cuerpo afectada.

Ya en tiempos más recientes, en el año 1977, una señora de Somerset contaba lo siguiente de forma resumida:

Estaba con mi madre en el jardín, cortando rosas, cuando de repente mi madre se puso un dedo en los labios y señaló a una de

las flores. Sorprendida vi en ella a un pequeño ser femenino como de unos quince centímetros de altura con una figura maravillosa y unas finísimas alas de libélula que brillaban. Tenía un bastón mágico diminuto en la mano y con él señalaba a la flor. En la punta del bastón bri-
llaba una luz que
parecía una estrella.
Como se podía ver a través de sus ropas, la piel de este peque-ño ser era de color rosa pálido; tenía el pelo largo y plateado y como rodeado por un aura. Voló alrede-dor de la flor duran-te dos minutos, mo-viendo sus alas igual que un colibrí y des-pués desapareció.

La propia señora inglesa explicaba después que el hada o elfo que había visto, tenía exactamente el mismo aspecto con que aparecen en las ilustraciones de los libros.

Pero sin duda alguna, el caso más famoso de hadas ocurri-do en el Reino Unido es el de las hadas de Cottingley, pequeña ciudad cerca de Bradford en Yorkshire. Todo empezó unos días antes del final de la primera guerra mundial, cuando Frances Griffith, una niña de once años, escribía desde Cottingley a su amiga Johanna, que estaba en Sudáfrica, donde ella misma había vivido un tiempo:

> *Querida Jo: Espero que estés bien. Ya te escribí una carta pero debe haberse perdido. ¿Juegas con Elsie y Nora Biddles? Ahora en la escuela aprendo francés, geometría, cocina y álgebra.*
>
> *La semana pasada papá volvió a casa; estaba en Francia desde hacía diez meses. Aquí todo el mundo piensa que la guerra terminará pronto. Vamos a colgar banderas en la ventana de mi cuarto.*
>
> *Te envío dos fotografías mías. La primera la tomó el tío Arthur: estoy en bañador en el patio, detrás de la casa. La otra, en la que se me ve con las hadas en el arroyo, la tomó Elsie.*
>
> *Rosebud sigue gordísima. Le he hecho vestidos nuevos. ¿Cómo están Teddy y Dolly?*

Ésta no sería otra cosa que una carta banal de una colegiala a una amiguita si no contuviera esa alusión, insólita y asombrosa, a la fotografía de las hadas.

Como ellas mismas manifestarían más tarde, las dos niñas en realidad no se sorprendían al ver o al fotografiar hadas: éstas formaban parte del mundo de su infancia y les parecía muy natural que habitaran en aquel rincón de la campiña inglesa, junto al arroyo que corre al fondo del gran jardín de Cottingley.

En el dorso de la fotografía Frances garabateó algunas palabras:

Las hadas del arroyo se han hecho
amigas mías y de Elsie. Es raro que nunca las haya visto en África. Allá debe de hacer demasiado calor para ellas...

La historia de esta foto, que llegó a ser muy popular, hizo correr ríos de tinta. Sin embargo, el fondo es más bien anodino: una tarde de julio de 1917, Elsie y su prima Frances pidieron prestada la cámara fotográfica del padre de Elsie. Querían tomar unas fotos para enviarlas a una de sus primas. La jornada transcurrió sin incidentes, salvo la imprudencia de Frances que se cayó en el arroyo y se mojó la ropa.

Por la noche el señor Arthur Wright, padre de Elsie, se entretuvo revelando la placa. Se sorprendió mucho cuando vio aparecer unas curiosas formas blancas en el cliché. Elsie afirmó que eran "hadas". Él se rió y pensó que eran pájaros o papeles llevados por el viento.

Durante el mes de agosto fue Frances quien manejó la cámara: tomó una fotografía de su prima a la orilla del arroyo en la que aparece un duende. Como era previsible en una foto tomada por una niña de once años, la foto es borrosa y está subexpuesta. El padre de las niñas reveló una vez más la placa y vio con asombro que volvían a aparecer las formas blancuzcas. Persuadido de que las niñas querían burlarse de él, les prohibió volver a usar la cámara.

Pero Arthur Wright y su esposa, Polly, ya estaban intrigados:

revisaron la habitación de Elsie y Frances buscando rastros de recortes de libros de cuentos. Recorrieron también las orillas del arroyo, tras las pruebas de la presunta maquinación, pero no encontraron nada.

Cuando se les preguntó acerca de los detalles de su historia, Elsie y Frances siguieron en sus trece: vieron unas hadas y las fotografiaron. ¿Existe algo más normal para unas niñas? Durante algún tiempo, los miembros de la familia admiraron las fotografías y las enseñaron a sus amigos. Todo el mundo se maravillaba, pero finalmente olvidaron el asunto de las hadas.

El verano siguiente, Polly Wright asistió a una reunión de la Sociedad de Teosofía de Bradford. Le interesaba mucho el ocultismo, así como los diferentes tipos de ectoplasmas. Aquella noche el tema de discusión era "la vida de las hadas". Durante la

velada, Polly Wright contó a algunas personas que su hija y su sobrina habían fotografiado unas criaturas muy curiosas, y pronto se propagó la noticia. En el Congreso de teósofos que se celebró poco después, dos copias de las fotos de "hadas" circularon ya entre los miembros de aquella sociedad esotérica, y llegaron a manos de Edward Gardner, uno de los representantes del movimiento teosófico, quien a su vez las entregó a la prensa. Gardner era una persona un poco maniática y muy puntillosa. Las copias reveladas por Arthur Wright no le parecieron satisfactorias,

por lo que encargó a Fred Barlow, fotógrafo experto, nuevos negativos de los originales, "más claros y limpios".

Fue entonces cuando empezó, en realidad, todo el asunto de las hadas de Cottingley. El mundo acababa de salir de una guerra mundial y se discutía sobre fotos de hadas. ¡Era asombroso!

Parece que nadie se planteó, en un primer momento, pregunta alguna acerca del tiempo de exposición de las fotos, el contorno de las siluetas de las hadas, los peinados que lucían —tan acordes al gusto de la época— o su indumentaria. No, la única preocupación del teósofo fue obtener unas copias más claras.

Precisamente en aquel tiempo, sir Arthur Conan Doyle, creador de Sherlock Holmes, estaba preparando un artículo sobre las hadas para el *Strand Magazine*. Con los años, el escritor se había convertido en un apasionado del espiritismo y de los fenómenos paranormales. Cuando oyó hablar de las fotografías intentó hacerse con

ellas a cualquier precio. Al principio desconfiaba, por lo que mostró las copias a sir Oliver Lodge, uno de los pioneros de las investigaciones psíquicas en Gran Bretaña. Este declaró que los clichés estaban amañados y pensó que se trataba de "bailarinas vestidas de hadas". Otro especialista en ocultismo hizo observar a Conan Doyle que el peinado de las hadas era demasiado parisino para ser auténtico.

Lo que actualmente resulta intrigante es el hecho de que todos estos comentarios se hicieron a partir de las copias, no de las placas originales. Todo el mundo estudió las copias realizadas por el experto de Edward Gardner, no las verdaderas placas impresionadas por las dos niñas. Quizá Conan Doyle y Gardner no consideraban importante remitirse al original, y por esta razón no mencionaron esta posibilidad. Pero también les pudo inducir a hacerlo su interés por la propagación de la doctrina teosófica y espiritista.

Se observó que las figuras estaban movidas; éste era un argumento para quienes creían en la autenticidad de las hadas, que habrían estado "vivas" en el momento de la foto. Para Kodak, en cambio, los clichés habían sido retocados por un falsificador muy hábil.

Por supuesto, triunfaron los espiritistas y los teósofos: aquellas hadas y aquel duende constituían la prueba de la existencia de los espíritus de la Naturaleza. Edward Gardner desempeñó un papel semejante al del doctor Watson de Conan Doyle: fue a investigar a casa de los Wright y juzgó honesta y respetable a la familia. Para callar a sus detractores, se planteó la posibilidad de tomar nuevas fotografías. En agosto de 1920 prestó a Frances y a Elsie una nueva cámara y una veintena de placas. Sólo así, aseguraba, se conseguiría probar que las hadas existían.

Mientras tanto, Conan Doyle había entregado su artículo al *Strand Magazine*, prometiendo ilustrarlo con las fotos de la segunda serie. Tampoco para él había duda posible. Incluso realizó un viaje a Australia para llevar allí la buena nueva espiritista y la del descubrimiento de las hadas.

Cuando en noviembre apareció el artículo del *Strand Magazine* se produjo la avalancha. La revista se agotó en unas horas. El hecho provocó innumerables reacciones; se acusó a Conan Doyle de querer "pervertir el espíritu de los niños con semejantes disparates", e incluso alguien afirmó que "inculcar esas ideas absurdas en los niños a la larga provocaría en ellos trastornos nerviosos y desequilibrios mentales". La opinión se dividió entre la admiración ante lo logrado de los trucos, el escepticismo cortés, la burla sarcástica y la ira. Sólo en los ambientes espiritistas y teosóficos se creía firmemente en la existencia de las hadas.

En 1921 Frances y Elsie comenzaron de nuevo a tomar fotografías de sus amigas las hadas. Edward Gardner les había prestado dos cámaras y algunas placas, con marcas secretas que impedían cualquier truco o sustitución. Les habían explicado su funcionamiento, impartiéndoles un verdadero cursillo de técnica fotográfica sobre tiempos de exposición y profundidad de campo. Y allí quedaron las dos niñas, acechando a las hadas. Edward Gardner regresó a Londres. Durante unos quince días llovió sin parar, por lo que resultó imposible ir a jugar cerca del arroyo. Después, el tiempo mejoró y hacia el 19 de agosto la

caza de hadas volvió a empezar. ¿Qué iban a fotografiar las dos niñas? Las hadas, ¿tendrán el mismo aspecto que en las bonitas ilustraciones de los libros infantiles? Aquella vez, el mundo aguardaba con impaciencia.

En una carta a Edward Gardner, el teósofo que pretendía demostrar la existencia de las hadas de Cottingley, Polly Wright contaba la segunda campaña que su hija y su sobrina emprendieron para fotografiar a las damitas del arroyo: el tiempo estuvo nublado y brumoso toda la mañana, y no pudieron tomar fotos hasta la tarde, cuando se disipó la niebla y salió el sol. "Así que las dejé y fui a tomar el té con mi hermana. Cuando volví quedé bastante desilusionada: sólo habían podido fotografiar a dos hadas".

La carta continuaba: "Volvieron allí el sábado por la tarde y tomaron varias fotografías, pero sólo hay una en la que aparece algo raro. No podremos hacer gran cosa con ellas. Arthur reveló las placas".

Hay una posdata totalmente inocente: "A fin de cuentas, no logró sorprender a ninguna cuando emprendía el vuelo". Finalmente, las placas llegaron a Londres, donde Conan Doyle y Edward Gardner las estaban aguardando con impaciencia. Conan Doyle quedó maravillado con esta segunda serie de fotografías, y la utilizó para ilustrar un segundo artículo publicado en el *Strand Magazine*. Al año siguiente publicó incluso un libro, *The coming of the fairies* (La llegada de las hadas) donde da cuenta de cierto número de apariciones de hadas.

Las reacciones ante esta segunda serie fueron variadas, pero todas ellas se caracterizaron por un gran apasionamiento. Muchos se asombraron ante el parecido de estas hadas con los personajes de los libros ilustrados para niños. También se subrayó otra vez que sus vestidos y sus peinados eran demasiado elegantes. Igualmente, la nitidez de las siluetas de estas hadas hacía pensar en un hábil retoque.

Finalmente, la gente sospechaba que sir Arthur Conan Doyle estaba exagerando y se preguntaba cómo un hombre como él había podido mezclarse en un asunto tan turbio. Las reacciones favorables, es decir, las de los partidarios de la autenticidad de las fotos, resultaban a menudo incómodas: eran demasiado precipitadas y estaban con frecuencia impregnadas de una excesiva ingenuidad. Los teósofos y los espiritistas parecían abandonar toda actitud crítica. El mismo

Conan Doyle describía sin inmutarse la escena que figura en la quinta placa: Sentada en lo alto de la ribera, a la izquierda, un hada con las alas desplegadas parece preguntarse si ha llegado el momento de emprender el vuelo. A la derecha, otra hada de edad madura, con magníficas alas y abundante cabellera, ya ha emprendido el vuelo. Su cuerpo, ligeramente más denso, se adivina a través de su túnica de hada.

Cottingley se convirtió en un pueblo muy conocido. ¿No se han contado siempre historias de hadas y de duendes? Se sabe que las hadas y los demás espíritus de la naturaleza disfrutan cerca del agua, en los bosques; ¿acaso no se yerguen a las orillas del arroyo, cerca de la casa de las dos niñas, robles, fresnos y matorrales de espinos que siempre han estado asociados a las hadas y a otras criaturas legendarias? Desde Londres se organizaron expediciones a Cottingley. Se solicitó al famoso clarividente Geoffrey Hodson que se trasladara al pueblo para "ver" a las bellas damitas del arroyo. Las dos niñas se divirtieron mucho con Geoffrey Hodson, quien efectivamente creyó poder afirmar que había visto un hada.

Muchos años después, ya en 1978, estas fotografías fueron sometidas a un nuevo procedimiento de ampliación desarrollado para el análisis de las imágenes enviadas por los satélites americanos desde la luna. Ese análisis reveló detalles insólitos, particularmente lo que parecían unos cordeles situados encima de las siluetas de las hadas. Un estudio atento de las hadas también subrayó el extraño parecido entre sus atuendos y los de las hadas representadas en el *Princess Mary's Gift Book*, libro aparecido en 1914 y que gozó de gran popularidad en su época.

Pero todos esos argumentos quedaban anulados a los ojos de quienes creían en la autenticidad de las fotografías. ¿Dibujaba Elsie hadas con frecuencia? Lógico, ya que las veía con frecuencia. Y sus dibujos no eran mejores ni peores de los de cualquier chica de su edad. ¿El parecido con el *Gift Book*? Evidentemente, los dos grupos de hadas están bailando. Sin embargo, las de Cottingley tenían alas. ¿Los cordeles que aparecieron en la ampliación? ¿De qué material, suficientemente invisible para la época, podían haber sido hechos?

Un último argumento: estas dos fotógrafas aficionadas no tenían ningún móvil suficiente para montar semejante enredo, que —no lo olvidemos— salió a la luz por razones ajenas a su voluntad. Y ninguna de las dos contaba con el tiempo, los medios ni la habilidad suficientes para trucar las placas fotográficas...

Pero es curioso que las dos "reporteras gráficas de lo invisible", con el paso de los años no modificaran sus declaraciones. En 1966

Elsie, siendo ya abuela, aceptó finalmente ser interrogada por un periodista de la BBC: confirmó que su padre había sido ajeno a todo el asunto y sostuvo que ella había visto realmente a las hadas. Diez años después, en el curso de una nueva entrevista, reafirmó sus declaraciones.

El tema de las hadas de Cottingley fue llevado al cine en varias ocasiones, lo cual lo tergiversó todavía más y le añadió una dosis extra de fantasía.

En 1983 el *Times* publicó un artículo en el que, Frances y Elsie, ya en los últimos años de sus vidas, parece que admitían que, al menos algunas fotos habían sido amañadas, sin embargo siempre mantuvieron que las hadas eran reales. Frances murió tres años después, a los 78 años de edad, defendiendo hasta el final que ella vio realmente a las hadas. Su prima Elsie murió dos años más tarde, a los 84 años. En un libro publicado por Frances dos años antes de su muerte decía: "Las hadas fueron algo maravilloso. Más tarde me esforcé en olvidar todo el asunto pues te cansas de hablar una vez y otra de lo mismo durante tantos años. Pero es como si ellas me obligaran a volver al tema y sobre todo a las ideas que ya he mencionado: 'todos somos uno, y tenemos que esforzarnos en ser conscientes de esa unidad'".

Aunque los medios actuales permiten afirmar

casi con total seguridad que las fotos fueron manipuladas, el enigma de Cottingley sigue en pie. Evidentemente, un espíritu racional no ve hadas, pero la tozudez de las niñas y muchos hechos inquietantes suscitan ciertas dudas. Y, en el fondo, ¿qué es la racionalidad sino una idea que puede variar mucho en función del contexto social? En otras épocas, gentes consideradas sensatas vieron hadas y diablos sin que nadie pusiera en duda su racionalidad. Algunas regiones del mundo han sido, desde siempre, ricas en manifestaciones sobrenaturales y una de ellas es, por cierto, la zona donde se encuentra Cottingley.

Algunos investigadores se han preguntado si las hadas de Cottingley no serían "impresiones fotográficas mentales", una especie de proyección de imágenes lo suficientemente fuerte como para impresionar una película. En este caso, el episodio de Elsie y Frances podría asimilarse a los fenómenos de *poltergeist*, en los que suelen intervenir adolescentes de la edad de las dos niñas. Curiosamente, después de 1921 las dos chicas dejaron totalmente de ver hadas.

Lo curioso es que casi noventa años después, toda la historia de las hadas de Cottingley sigue generando apasionamiento e incredulidad. ¿Cómo es posible que el creador de Sherlock Holmes, un detective acostumbrado a lidiar con hechos, no con teorías y que en muchas ocasiones se negó a aceptar públicamente la existencia de lo sobrenatural, pudiera creer en las hadas? ¿Y cómo es posible que fuese engañado por dos adolescentes? Los biógrafos de Arthur Conan Doyle prefieren esquivar el asunto. Unos le restan importancia y otros, ni siquiera lo mencionan en sus obras.

Las *H*ADAS
en Irlanda

Irlanda ha sido tradicionalmente identificada como el hogar de las hadas y los gnomos. En algunas partes del país se asegura que, en ocasiones, una neblina oculta ciertas zonas del bosque y, si uno se fija con atención, podrá vislumbrar un cortejo de hadas, especialmente algunos días del año, como la noche de San Juan. Son muchos los testimonios de haber visto hadas en esa noche tan especial. En esas ocasiones se escuchan primero las músicas de los festejos, detrás un séquito de caballos pasa ante los ojos de la persona y, a través de la neblina, se puede ver a ciertos seres que aparecen y desaparecen, todo rodeado de una luz muy suave. De repente la neblina se disipa y las imágenes se esfuman de la misma manera que aparecieron. Ciertos relatos irlandeses vienen a insistir en la existencia de un mundo paralelo al nuestro, como si hubiera otro mundo en nuestro propio mundo, pero en otra dimensión.

Charles W. Leadbeater describe así sus observaciones sobre los seres incorpóreos que encontró en Irlanda: "Cosa extraña es que la altura sobre el nivel del mar parece influir en la distribución geográfica de los espíritus de la naturaleza, pues los que moran en las montañas, rara vez se mezclan con los del llano. Recuerdo que al subir a la montaña de Slievenamón, una de las tradicionalmente sagradas de Irlanda, observé los definidos límites de demarcación entre los distintos tipos. Las estribaciones inferiores, así como las llanuras circundantes, estaban pobladas por una activísima variedad roja y negra, que pulula en todo el sur y oeste de Irlanda, atraída por los centros magnéticos que

hace cerca de dos mil años establecieron los sacerdotes magos. Sin embargo, al cabo de media hora de ascensión a la montaña, no vi ni uno de estos seres rojinegros, sino que la falda estaba allí poblada por el apacible tipo azul moreno... También tienen éstos su zona perfectamente delimitada, y ningún espíritu de la naturaleza de cualquier otro tipo se atreve a penetrar en el espacio aledaño a la cumbre consagrada a los poderosos devas de color verde que durante más de dos mil años están allí custodiando uno de los centros de fuerza viva que eslabonan el pasado con el futuro de la mística tierra de Erín. Estos devas aventajan al hombre en estatura, y sus gigantes formas son del color de las nuevas hojas primaverales, pero de indescriptible suavidad, refulgencia y brillo. Miran a la tierra con sus admirables ojos que lucen cual estrellas, llenos de la paz de quienes viven en lo eterno y esperando con la tranquilidad y certeza que infunde el conocimiento, la llegada del tiempo señalado. Al contemplar semejante espectáculo se advierte plenamente el poderío y la importancia del aspecto oculto de las cosas..."

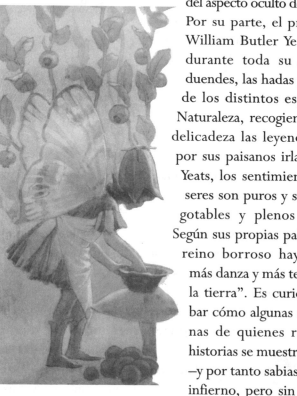

Por su parte, el premio Nobel William Butler Yeats se ocupó durante toda su vida de los duendes, las hadas y, en general, de los distintos espíritus de la Naturaleza, recogiendo con gran delicadeza las leyendas narradas por sus paisanos irlandeses. Para Yeats, los sentimientos de estos seres son puros y sin duda, inagotables y plenos de belleza. Según sus propias palabras "En el reino borroso hay más amor, más danza y más tesoros que en la tierra". Es curioso comprobar cómo algunas de las personas de quienes recogió estas historias se muestran escépticas —y por tanto sabias— respecto al infierno, pero sin embargo no dudan de la existencia de hadas y duendes porque "se dude de lo que se dude, de lo que nunca se duda es de los duendes". Muchos le contaron a Yeats sus visiones y sus encuentros con "la otra gente", y observamos con asombro que esas visiones eran

consideradas tan norma-
les que una vez que un
anciano vio, junto a 30
hombres y mujeres que
estaban trabajando en el
campo, a un numeroso
grupo de duendes, el hom-
bre para el que trabaja-
ban, a pesar de verlos también, les obligó a dejar de
mirar y volver al trabajo,
porque según les dijo, para eso les pagaba, no para
perder el tiempo mirando
a los duendes.

Por otra parte, es necesario haber nacido en la región para
conseguir que los nativos le cuenten a uno alguna cosa. En sus
investigaciones sobre las hadas, Yeats recibía con mucha frecuencia respuestas muy reservadas e incluso bruscas. A muy
pocos kilómetros de su pueblo le respondió una vez una anciana a su pregunta acerca de las hadas: "¡Ellas se ocupan de sus
asuntos y yo de los míos!"

A pesar de todo, tanto él como otros
investigadores reunieron, por suerte,
suficiente material sobre las hadas de
Irlanda como para poder informarnos
ampliamente. Algunos, que en su búsqueda del "pequeño pueblo" subieron
al monte Ben Bulben, nunca volvieron
de allí. El monte-mesa es el lugar de
residencia principal de un determinado

grupo de hadas irlandesas, las Gentry (literalmente algo así como "de baja nobleza"). Evans Wentz, uno de los pioneros de las investigaciones sobre las hadas, encontró a un informador que había visto varias veces a algunos representantes de las Gentry cara a cara:

Fue en enero, un frío y seco día de invierno, cuando un amigo y yo vimos por primera vez a una de las Gentry mientras dábamos un paseo por el Ben Bulben. Sabía de quién se trataba, pues había oído hablar del pueblo de las hadas. Iba vestida con ropas azules y llevaba un sombrero decorado con pliegues. Cuando me acerqué más a ella, me dijo con una voz dulce y argentina: "Cuanto menos venga a esta montaña, mejor. Hay una joven a la que le gustaría tenerle a usted todo para ella".

Después no nos permitió disparar nuestras armas, porque a las Gentry no les gusta que las molesten con ruidos. Cuando ya nos

marchábamos de la montaña, nos indicó que no quería vernos más.

Este testigo presencial describe a esta representante de las Gentry como aristocrática y bastante más grande que las demás hadas de Irlanda. Poseen unas enormes capacidades, una vista que puede penetrar la tierra y además saben tocar una música maravillosa. Viven en la montaña, en magníficos castillos, y parte de ellas también habitan en otras zonas, pues les gusta mucho viajar. Participan vivamente de los intereses de la gente y siempre están del lado del orden y la justicia. De vez en cuando raptan a personas, que por una u otra razón, son de su interés, y cuando alguien las acompaña y bebe o come algo con ellas, ya nunca puede regresar a su ser normal.

Este informador supo transmitir a Yeats bastante material sobre las Gentry. Según contaba, su estatura varía. Un día apareció ante él una de sus representantes y que tan sólo medía cuatro pies y era bastante corpulenta. Y le decía explicando esto: "Soy más alta de lo que te parezco. Nosotras podemos hacer viejo al joven, alto al bajo y bajo al alto".

Este testigo presencial tuvo suerte de que el hada fuera tan amable, pues podría haberle ido muy mal al atreverse a pasear por el Ben Bulben. Éste es un monte en forma de mesa, cuyo escarpado lado sur —con una maravillosa vista tanto a la tierra como al mar— está lleno de cuevas y de grietas que penetran profundamente hasta el interior de la tierra. Se supone que llevan al reino de las Gentry y más de uno ha desaparecido allí para ya no volver nunca más.

A veces, en las narraciones irlandesas sobre duendes se suele hacer hincapié en el aspecto paralelo y complementario de ambas zonas (la feérica y la humana). Unas veces afirmando que, para que los duendes puedan realizar ciertos actos o jugar a cierto juego deportivo, necesitan de la presencia de los humanos. Una vez se vio sobre una tapia lo que el testigo humano creyó un conejo, al acercarse más creyó que era un gato blanco y cuando se acercó más aquel ser empezó a hincharse mientras el hombre sentía disminuir su fuerza. Así, la relación entre los seres, las cosechas, los árboles y las plantas de ambos mundos a veces parece ser como la de los vasos comunicantes. La gente que los duendes prefieren para llevárselos a su mundo son niños, poetas, músicos y los humanos muy admirados y queridos: gente que despierta y que siente emociones y sentimientos intensos, pues estos atraen especialmente a los duendes. Aquellos a quienes raptan vivirán siempre felices entre los duendes. Algunos raptados regresan a veces para visitar a alguien o para avisar de algo, pero generalmente suelen haber pasado cientos de años,

aunque para ellos sólo hayan transcurrido unos meses o unas horas

Yeats refiere la historia de un viejo que en su juventud había tenido un encuentro con una que se decía reina entre los duendes, quien le preguntó qué prefería, si dinero o placer. Él eligió placer y ella le concedió su amor una temporada y luego lo dejó.

Desde entonces el viejo se quedó para siempre apesadumbrado. Dice Yeats que el pueblo gentil tiene sus sendas y sus caminos por los que van de uno de sus lugares a otro. Unas veces los duendes avisan de las consecuencias nefastas de construir una casa sobre una de esas sendas. Otras veces, aparecen sus efectos sin avisar. Algunos de sus informantes son testigos de sus manifestaciones artísticas, como uno que confiesa haberles visto cantar y bailar una canción llamada "la catarata lejana". En cuanto a su actitud, suelen portarse bien si los humanos se portan bien con ellos. Pero no les gusta nada que alguien se interponga en su camino o infrinja algunas de sus normas o costumbres. Sus reacciones son entonces radicalmente nefastas, abarcando una amplia gama de efectos entre los que se cuentan la locura, o la muerte. Respecto a su número, no parece haber problema de desaparición porque según los narradores el aire está lleno de ellos y son tan numerosos como las arenas del mar.

Sobre el aspecto de la "otra gente", los narradores de Yeats le informan extensamente. Algunos tienen patas de fauno —como hijos del dios pagano Pan— y por ello la Iglesia los consideró demoníacos, al demonizar a todos los espíritus y dioses anteriores al cristianismo. Su belleza y su fealdad, como todo en ellos, es extrema y portentosa. Pueden ser del tamaño de un ser humano, más grandes, o mucho más pequeños, y según algunos, el tamaño con que se les ve depende de los ojos de cada testigo. A algunas de sus mujeres las describen como de aspecto magnífico y majestuoso y de belleza luminosa, sin que haya nada parecido entre los humanos.

Además de lo relativo a su belleza y su fealdad, su aspecto puede variar muchísimo. Puede ser una mujer vestida de blanco dando vueltas a un arbusto, que de pronto se convierte en un hombre y luego otra vez en mujer para luego desaparecer. O puede mostrarse como un ser con plumas azules en lugar de cabellos. O como gente vestida con corchetes de colores o con antiguas túnicas griegas. Pueden presentar rostros apacibles y bellos o deformes como los de un animal. Pueden ser igualmente hombres con armadura, focas silbadoras o podencos con lengua de fuego... Un informante le contó a Yeats que una vez se encontró con un hombre que le llegaba a las rodillas y tenía la cabeza como el cuerpo de un hombre, y le tuvo extraviado dando vueltas hasta que se cansó y le dejó de nuevo en el camino para desaparecer a continuación.

Un pastorcillo vio a la llamada Dama Blanca, quien pasó tan cerca de él que le rozó la su vestimenta. El pastor se desplomó y estuvo como muerto durante tres días. Otra persona le cuenta que en una noche de tormenta se refugió en una cabaña con desconocidos, y al levantarse al día siguiente se encontró en medio del campo y todo había desaparecido.

Y otros le hablan sobre las cortes del país borroso, donde en todas hay una reina y un bufón (el más sabio de todos) y nadie se recupera del roce de alguno de ellos, aunque es posible recuperarse del roce de cualquier otro de sus habitantes. También le

cuentan sobre familias humanas emparentadas con duendes por relaciones amorosas y descendencia híbrida.

Una historia especialmente curiosa es la de un hombre incrédulo que pasó una noche en una casa con fama de encantada. Se quitó las botas y acercó los pies al fuego para secarse y calentarse, cuando de pronto vio que sus botas empezaban a andar como si alguien invisible se las hubiera calzado. Salieron de la habitación, subieron la escalera y la bajaron, volvieron a entrar en la habitación y empezaron a patear al hombre, al que acabaron echándole de la casa. Otra es la de una mujer

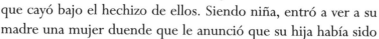

que cayó bajo el hechizo de ellos. Siendo niña, entró a ver a su madre una mujer duende que le anunció que su hija había sido

elegida para casarse con un príncipe del pueblo gentil. Y como estaría mal que la mujer humana envejeciera mientras su marido seguía siendo joven, se le concedería una existencia como la de los duendes. Para ello su madre tenía que enterrar un tronco de la chimenea encendido y mientras el tronco no se apagara su hija seguiría viva. Ya siendo una joven, la niña se casó con el duende, que la visitaba todas las noches, y cuando éste murió a los 700 años, otro príncipe del país borroso se casó con ella y luego otro y otro. Así hasta que tuvo siete maridos. Pero el cura de aquel momento fue a visitarla para decirle que

era un escándalo su longeva juventud y también sus siete maridos. Y ella entones, quizá cansada de una existencia tan larga, le habló del tronco enterrado, el cura lo desenterró y ella murió.

En Irlanda se cree que existen puntos especiales, auténticas puertas que comunican este mundo con el de los duendes. Por ejemplo, en cierto lugar existe un pequeño cuadrado blanco en una piedra caliza, que la gente evita rozar siquiera y junto a la que jamás pace ningún animal. Por las noches la roca gira y se abre y salen las huestes del país borroso a recorrer la tierra. Otra puerta está en un lago al que una vez quisieron desecar. Los que lo intentaban vieron de repente sus casas ardiendo y volvieron corriendo al pueblo para descubrir que no pasaba nada. Había sido un encantamiento de los duendes por su atrevimiento. Desde entonces

se ve junto al lago una zanja a medio cavar. O como cierto paraje costero irlandés donde se cuenta que si alguien se queda dormido, se despertará tonto porque los duendes se habrán podido llevar su alma. En su libro *Celtic Twilight* (Crepúsculo Celta) cuenta Yeats la siguiente experiencia, a la vez enigmática y fascinante: Una vez estaba él con un amigo y una joven familiar de éste a la que se consideraba como vidente, paseando por la playa. Charlaban sobre el pueblo olvidado (es decir, sobre las hadas), hasta que llegaron a una cueva situada en medio de unas rocas, en la que —según se creía— debían vivir algunas de ellas. Yeats le preguntó a la chica si podía ver algo, porque le gustaría preguntarles algunas cosas a las hadas.

La muchacha se quedó muy tranquila y cayó en una especie de trance. Yeats pronunció el nombre de algunas hadas famosas y poco después la chica explicó que podía escuchar música, charlas, pisadas y risas en algún lugar muy profundo de las rocas. Después vio cómo salía una luz de la cueva y cómo varias personas bajitas vestidas de diferentes

colores, pero sobre todo de rojo, bailaban al son de una música que ella no conocía.

Yeats le pidió que preguntara por la reina de las hadas, para que él pudiera hablar con ella, pero esta petición no obtuvo respuesta. En vista de ello, el propio Yeats repitió su deseo y justo en ese momento, la muchacha con dotes de vidente explicó que una mujer, alta y bella, había salido de la caverna.

Yeats escribe que él mismo cayó en algo así como un trance y que tuvo la visión de una mujer de cabello negro ataviada con joyas de oro. El séquito de la soberana marchaba en cuatro grupos. Unos llevaban ramas de fresno en las manos, otros cadenas de escamas de serpiente en el cuello. Para que la profetisa pudiera entender las palabras de la reina tenía que colocarle las manos en el pecho. Después respondió a las preguntas de Yeats. Por ejemplo, él quiso saber si era verdad que las hadas se llevaban a la gente a su reino. "Sólo intercambiamos los cuerpos", dijo. También quiso saber si las hadas pueden nacer mortales, a lo que la reina respondió afirmativamente.

Yeats preguntó si de verdad existían o si eran únicamente un producto de nuestra fantasía. "No entiende la pregunta", dijo la vidente, "pero dice que su gente es muy parecida a los mortales y que la mayoría hace lo que hacen los humanos". Al final, la reina de las hadas parece que consideró que ya eran muchas preguntas y escribió en la arena lo siguiente: "Ten cuidado y no intentes averiguar demasiado sobre nosotras".

Cuando Yeats se dio cuenta de que la había ofendido, le dio las gracias y ella desapareció en la cueva. La joven vidente despertó también del trance y se quedó temblando al viento.

Islandia

En Islandia existe un organismo estatal cuya competencia son las hadas, los elfos y demás espíritus de la Naturaleza. Quienes frecuentan este país lo saben y además aparece en todas las guías de viaje. Quien pida información en la oficina de turismo islandesa podrá obtener varias direcciones interesantes como la de la comisionada de los elfos, la de una escuela de elfos, la de un museo de los elfos, y quien decida visitar a la propia comisionada en persona, Erla Stefansdóttir, seguramente obtendrá algún regalo, aunque sólo sea un mapa de las tierras de los elfos.

La mencionada escuela de elfos no está pensada para los propios elfos, sino para las personas interesadas en estos seres. El museo contiene entre otras curiosidades el pene de un elfo, que por desgracia es invisible para la mayoría de los humanos, según afirma la revista *P.M.* Una encuesta realizada en 1998 dio como resultado que un 54,4 por ciento de los islandeses creía en

la existencia de los elfos. Y el 45,6 restante, aunque no estaba seguro de creer en ellos, tampoco quería ponerse a mal con los habitantes invisibles de sus tierras, en caso de que existieran. Ciertamente, en Islandia y en lo referente a los elfos, si se quiere pasar por la vida sin percances, lo mejor es ser prudente. Pudiendo dar un rodeo, no es en absoluto necesario recorrer una calle donde se sabe que en ella viven los elfos. Y aquí es donde entra en juego la comisionada de los elfos y su "mapa del mundo prohibido" que recoge datos sobre las viviendas y los caminos de los distintos elfos y hadas para que los que no los conocen los eviten.

"Para evitar conflictos con el pueblo invisible" se dice en uno de los muchos sitios de internet sobre el tema, "antes de iniciar una construcción se ha de consultar a Stefansdóttir, ya se trate de una obra oficial o privada. No es nada raro que una calle ya trazada, tras una inspección de la autoridad, tenga que ser diseñada de nuevo". Esto es válido sobre todo para calles o carreteras en las que suelen ser frecuentes los accidentes en un determinado lugar, es decir, los llamados puntos negros. Vladimar Hafstein realizó una investigación sobre este tema entre 1995 y 1996. Explicó que prácticamente cada verano, en los periódicos, la televisión o la radio se hablaba de incidentes extraños. Casi siempre se trata de accidentes de coche con sueños a manera de advertencias o de máquinas, coches, camiones o tractores que se averían sin motivo y repetidamente, mientras trabajan en la construcción de una carretera, o de una casa, y otros sucesos de este tipo. En estos casos se dice que son lugares habitados por los elfos, los cuales quieren sabotear alguna construcción que les molesta.

Las reacciones a estos accidentes no siempre son iguales, pero con frecuencia los responsables suelen arreglárselas de alguna manera con los elfos: Unas veces llegan a un acuerdo con ellos y les dan algún tiempo para que se trasladen, otras no utilizan material explosivo, se diseña de nuevo el recorrido de la carretera para que rodee el lugar en el que habitan ellos o bien, incluso se abandona totalmente la construcción en aquel lugar.

Existen casos más que suficientes de personas que no hicieron caso de las advertencias que provenían del reino de los elfos y que luego fueron víctimas de su venganza.

A comienzos de los años setenta del pasado siglo fue necesario quitar una piedra de grandes dimensiones que molestaba para una construcción. Entonces ocurrieron los típicos accidentes y demoras, por lo que el responsable de la obra recurrió finalmente a un médium, quien le confirmó que aquella piedra estaba habitada por los elfos. Poco tiempo después, el hombre difundió que ya tenía el permiso de los elfos para continuar los trabajos. Pero todo continuó yendo mal y cuando al final una excavadora se llevó por delante una tubería de agua, y ésta reventó y acabó matando setenta mil truchas de una piscifactoría cercana, ya nadie quiso saber más sobre la retirada de tal piedra. Uno de los que lo intentaron en su momento contaba que des

de entonces le perseguía la desgracia.

Algo parecido cuenta también el experto en elfos Wolfgang Müller en su libro *Die Elfe im Schlafsack (El elfo en el saco de dormir).* En medio de un *parking* en el noroeste de Reykiavik había un gran bloque de basalto en el que vivía una familia de elfos. Hacía cincuenta años que se tenía que haber retirado este bloque al construirse el estacionamiento. En el momento en que se conoció tal propósito, las gallinas de una granja avícola cercana empezaron a poner muchos menos huevos. En el transcurso de tres semanas, la producción de huevos prácticamente desapareció. Entonces se pidió

consejo a algu-
nos médiums y
se supo por ellos
lo que se venía
presuponiendo
desde hacía mucho
tiempo: La piedra
estaba habitada por
elfos, que se mostraron
amenazantes incluso hacia
los propios médiums. Así
pues, se dejó aquel bloque
de piedra donde estaba y
las gallinas volvieron a poner huevos sin problemas.

El "Alfhóllsvegur" (El
camino de la colina de los
elfos) entre Reykiavik y Kopavogur rodea una colina en la que se
supone que viven elfos. Aquí fracasaron los intentos de excavar
un poco la colina para que el tráfico pudiera circular por ella con
facilidad. Además nadie quería vivir allí. Cuando las autoridades
de la ciudad intentaron vender parcelas, los potenciales com-
pradores se echaron atrás, lo que la propia ciudad aceptó sin
rechistar. Aquel terreno nunca más se ofreció a la venta y desde
entonces la colina de los elfos tiene permanentemente el número 102 del camino de la colina de los elfos.

También en la ciudad de Grundafjördur hay una piedra en
la calle principal entre los números 82 y 86 en la que habitan
elfos.

Mins Minasen, que dedicó un artículo a este tema, explica
que el ministerio de obras públicas islandés está obligado a tener

un cuidado permanente con la población invisible de elfos, y a moverse por la ciudad y por el campo con el mismo cuidado que pondrían si caminaran por una pradera en la que hubiera huevos escondidos que no quisieran destrozar.

La lava que rodea la ciudad de Hafnarfjördur está cuajada también de elfos y en el mapa de Stefansdóttir se añade sobre ella: "Tan pronto como se descubre a los seres que viven en los jardines de las casas, la lava cobra vida de una forma muy especial". Sigue el folleto oficial: "Desde siempre se ha creído que en estos riscos habitan elfos, enanos y otros seres que viven en perfecta armonía con los hombres." Muchos están convencidos de

haber visto o percibido a una mujer vestida de blanco con un cinturón de plata que vive en el castillo de los elfos de Hamarinn, situado en la colina de roca que domina la ciudad.

La Sra. Stefandóttir, antigua profesora de piano dotada de facultades paranormales afirma haber visto elfos y otros seres, tal vez *trolls*. Dice que las hadas son más parecidas a los hombres y van vestidas con ropa de color rosado o azul claro, y las que ella llama "hadas de la luz" son más parecidas a la idea que tenemos de los elfos de las flores. Además de estos seres, Stefansdóttir ve también las líneas de energía a las que los chinos llamaban venas de dragón. Aparecen en diferentes colores y se extienden por el espacio. Las líneas azules, que parten de  un pedregal, marcan viejos caminos de hadas que están totalmente ocultos. En principio, a todos nos es posible percibir tales líneas si, según dice Stefansdóttir, "intentamos abrir la puerta a nuestro corazón y contemplar la fuerza vital universal, la consciencia que está en todas las cosas".

En muchas historias islandesas de hadas se habla de la niebla, porque se cree que a las hadas les gusta este elemento o incluso lo pueden producir para ocultarse a sí mismas o a sus pueblos o para confundir a los hombres. En ocasiones no es raro  que se las equipare con la propia niebla, que por las noches sube de las praderas. Un islandés, llamado Kjartan, afirma que de niño vio a los elfos marcharse de su casa: Vivía entonces en una casa cercana a una colina cubierta de prados. Un día, mientras jugaba con un amigo fuera de la casa, vio a unos hombrecillos que le llegaban a la altura de la rodilla y que vestían de gris, los cuales salían de la colina y se dirigían a un campo de lava. Llevaban bolsos a la espalda y en los hombros. Kjartan los contempló sorprendido durante un momento y se volvió hacia su amigo enseguida para advertirle de la presencia de aquellos elfos. Cuando se dio la vuelta otra vez, los elfos ya habían desaparecido. Kjartan buscó entonces en la lava el lugar hacia donde los había visto dirigirse, pero ya no los pudo localizar.

Poco después se iniciaron obras en la colina, y Kjartan pensó que había sorprendido a los elfos justo en el momento en que éstos abandonaban sus casas con todas sus pertenencias. No sólo en Islandia sino en cualquier otra parte del mundo, los niños que habitan en ambientes rurales suelen tener este tipo de vivencias con más frecuencia de lo que nos podemos imaginar, aunque naturalmente, los mayores no las tengamos muy en cuenta.

En otras latitudes

C. W. Leadbeater decía en el ya citado librito *Los espíritus de la Naturaleza*: "En la India hallamos hadas de diversas especies, desde las de color rosado y verde pálido o azul claro y amarillo-verdoso de las montañas, hasta las entremezcladas de soberbios colores, casi chillones por su intensidad, que moran en las llanuras. En algunas partes de este maravilloso país, he visto la variedad de negro y oro, que es más común en los desiertos africanos, y también otra cuyos individuos parecen estatuitas de refulgente metal carmesí, semejante al latón de los atlantes…"

Desde que el famoso vidente y teósofo hiciera estas observaciones han pasado ya cien años. Curiosamente, todas las referencias que he localizado acerca de estos seres en el subcontinente indio, han sido hechas por occidentales.

En el norte de Pakistán, en las montañas de la cuenca superior del Indo, según el unánime convencimiento de los habitantes de la zona, las hadas viven en la misma cumbre de las montañas, es decir, donde la gente normal rara vez va, y las mujeres nunca, porque lo tienen estrictamente prohibido. Las chicas, desde que alcanzan la edad de menstruar hasta que llegan a la menopausia, no tienen permitido pisar aquellas tierras.

De este modo, si los cazadores o los pastores se encuentran allí a una guapa mujer rubia, sólo puede tratarse de un hada. Aunque en los últimos años, la creencia en las hadas ha decaído un poco, de ninguna manera ha llegado a desaparecer. En la cuenca superior del Indo, las hadas han jugado un importante

papel hasta hace muy poco tiempo en lo referente a la caza. Los cazadores antes de salir a la montaña, se cuidaban de pedir permiso a las hadas para poder matar uno de sus animales. Todos los animales de las regiones altas se consideraban posesión de las hadas, una creencia que de una forma muy parecida existe también entre los habitantes de los Alpes. Si se concedía el permiso, los cazadores tallaban en una roca la imagen de una cabra montés o de una gamuza, antes o después de la cacería, para de esta manera devolver de forma simbólica el animal a las hadas o para darle otra vez vida. A las hadas además se les hacían ofrendas de agradecimiento, sobre todo se les llevaba ropa o alimentos.

En el Himalaya, los castillos de las hadas se encuentran, según la creencia general, en las cumbres más altas de las montañas cubiertas de nieve, en alturas de vértigo en las que sólo se aventuran algunas cabras monteses, gamos, águilas y a veces, personas que se atreven a desafiar al destino. Uno de ellos fue el alpinista Reinhold Messner, quien precisamente en aquellas cumbres tuvo una extraña experiencia. Mientras una noche, totalmente agotado, estaba montando la tienda, tuvo de repente

la sensación de que una muchacha se sentaba a su lado. Bien podría ayudarme a instalar la tienda, pensó él, y se esforzó en seguir pisando la nieve. Ella, sin embargo, se dedicó sólo a mirar tranquilamente. Cuando por fin la tienda estuvo montada, Messner se dio cuenta de que a su alrededor había niños, hombres y mujeres y empezó, sin ningún fin concreto, a hablarles. Después habló también con la chica que había sido la primera en aparecer, y ésta le aseguró que alcanzaría la cumbre al día siguiente y respondió a sus objeciones asegurándole que el tiempo sería bueno. La muchacha tenía una voz tan bonita, recordaba Messner después, que nunca ya en su vida la olvidaría.

A veces podía casi tocarla, pero cuando miraba bien, no había nadie. Pensó pues que debía tratarse de una alucinación, pero por la experiencia de muchos años en alta montaña sabía cómo se experimentan las alucinaciones, y aquello era distinto.

Messner está convencido de que allí arriba en el Nanga Parbat, no estaba solo y que aquellos seres eran sus amigos.

Otro europeo que ha relatado un posible encuentro con hadas en el norte de la India es Klaus Peter Zoller, científico que estuvo realizando trabajos de campo durante varios años en la región de Bangan. Cuenta Zoller que, en una ocasión, vio junto con uno de sus acompañantes nativos, en la montaña sobre una pendiente de roca, a varias chicas jóvenes que les hacían señales, llamándoles y saltando. Además, no estaban vestidas como el resto de los nativos y su comportamiento era totalmente impropio y atípico para las mujeres de la zona. Los dos hombres se pusieron de inmediato en camino hacia el lugar en el que estaban las chicas y llegaron allí al cabo de unos minutos. Pero entonces las muchachas habían desaparecido y ya no se las pudo ver por ninguna parte, a pesar de que el terreno no ofrecía ningún obstáculo para la vista. En el pueblo, ambos contaron su experiencia y los lugareños, que no conocían a ninguna chica que se ajustara a la descripción dada, les dijeron con naturalidad que debía tratarse de hadas.

Los países árabes
y los $\mathcal{D}$JIN

La palabra *djin* se suele traducir como "genio". Por ejemplo, el ser que sale de la lámpara de Aladino, es un *djin*. El asunto es que los *djin* son la tercera raza creada por Alá, siendo ésta una de las peculiaridades más interesantes del Islam frente a los otros dos grandes monoteísmos: el Judaísmo y el Cristianismo. Los *djin* son una especie amoral, no necesariamente maligna, si bien suelen ser bromistas y embaucadores, y eso cuando se portan bien. Están presentes en los cuentos y leyendas de toda la zona de influencia del Islam, aunque es seguro que al difundirse el mensaje del Corán se impuso un mismo nombre a muchas manifestaciones y seres distintos existentes anteriormente. Así, en lugares donde el Mazdeísmo estuvo antes que el Islam, los *djin* son protagonistas de diversas prácticas mágicas poco comunes en otros lugares. Para los beduinos, son tentadores del desierto y ladrones nocturnos y para los musulmanes de la India pueden

ser
moles-
tos invaso-
res del hogar
que deben ser
expulsados usando
ciertos versículos del
Corán en una ceremonia
no muy distinta del exorcis-
mo cristiano.

La práctica diaria musulmana de la oración contiene referencias a los *djin*, ya que según la tradición todos tenemos dos
djin, uno en cada hombro, que registran nuestras acciones, (el
derecho las buenas, el izquierdo las malas), teniendo el creyen-
te que saludar a cada uno de ellos antes de inclinarse en el rezo.
Esta creencia se transmitió a Europa a través de Al-Andalus y
aún se refleja en ciertas manifestaciones de la cultura popular
occidental. Los *djin* poseen múltiples atributos distintos según
las épocas y los lugares. Pueden transformarse en pequeños animales, atravesar paredes sólidas sin dejar de poder tocar lo material y a los seres vivos, desplazarse a grandes velocidades, adoptar la forma de seres humanos y suplantar a familiares y conoci-
dos. El estado normal de un *djin* es invisible para los humanos,
ya que Alá les proporcionó muchas habilidades, pero dificultó de
esta forma que pudiéramos relacionarnos normalmente con

ellos. Cuenta la tradición que al final de los días esta situación se invertirá y seremos los humanos quienes podamos verlos a ellos. Es importante tener en cuenta que los *djin* no son una muestra más del folclore, sino que están presentes en el día a día de la mayoría de los musulmanes del planeta y en la mayor parte de las ramas del Islam. En las zonas islamizadas más orientales (y más celosas con la ocultación de la mujer) es costumbre que el varón tome a su esposa tapando la cabeza de ella con un velo o con las propias sábanas, para impedir que los *djin* posados en sus hombros vean lo que sólo él, como esposo, está autorizado a contemplar. Incluso las leyes actuales de algunos países islámicos hacen referencia a estos seres, por ejemplo, si una mujer que ha quedado encinta fuera del matrimonio puede demostrar que ha sido seducida por un *djin*, la pena se rebaja sensiblemente.

HADAS, gnomos y otros seres misteriosos en España

Aunque son mucho más abundantes en unas regiones que en otras, la Península Ibérica está poblada por una multitud de duendes, hadas, gnomos y seres encantados, en unos casos muy similares a los de la tradición céltica y en otros de hechura más mediterránea, semejantes a los que hallamos en Grecia y en Italia.

Lo que sigue es una relación de hadas y duendes hispanos. No me ha parecido bien separarlos de algunos de sus compañeros habituales sólo porque la existencia de estos últimos, fuera de los cuentos y las leyendas, sea más que dudosa. Por ser Asturias una de las regiones españolas con mayor tradición en este campo, empezaremos por las hadas asturianas.

Las xanas

Las xanas o *xanes*, son ninfas o hadas benéficas, vinculadas generalmente a cuevas, fuentes y cauces de los ríos. Tienen un aspecto totalmente humano; unas veces son pequeñas de estatura y en otras ocasiones pueden tener el tamaño de una mujer normal, pero siempre suelen poseer una larguísima cabellera y una extraordinaria belleza. En el área oriental de Asturias, *les inxanes* eran las mujeres de los moros, que dejaron éstos cuando se fueron y que se refugiaron en las cuevas.

Las xanas suelen ir desnudas o cubiertas con velos transparentes, pero también pueden llevar una túnica blanca o plateada o incluso vestir el traje tradicional asturiano. Poseen una voz cautivadora y a

veces lavan su ropa o sus cabellos en las fuentes y los ríos. En las puertas de sus cuevas, hilan y colocan sus tenderetes con peines, adornos y tijeras de oro, pero se ignora con qué fin lo hacen... si es para vender, por mera ostentación de los tesoros que guardan o para llamar la atención de la gente.

Curiosamente también, se considera que las xanas son cristianas, parece que las hicieron cristianas en algún momento de la historia, sin perjuicio de que, en algunos lugares del oriente astur se las crea moras. Se dice que todo lo que poseen las xanas es de oro, ya se trate de gallinas, pollos, peines o ruecas. Su pasión favorita es hilar madejas de oro finísimo o danzar con sus compañeras formando un corro, saltando alegres y contentas mientras cantan con su dulcísima voz.

Las xanas aparecen delimitadas en un área geográfica que ocupa el centro y oriente de Asturias. Curiosamente, más al occidente, desaparece todo rastro de ellas, sin embargo sí las encontramos en León, donde se les llama Janas. Los estudiosos las asocian con una antigua deidad femenina celta.

El nuberu

Los nuberos o *nuberus* parecen estar relacionados con los hacedores de tormentas de los cultos animistas. El control mágico de la lluvia es algo muy antiguo y se repite prácticamente en todas partes del mundo. Las características del *nuberu* pueden combinar arbitrariamente rasgos maléficos con algo tan poco maléfico

como el agrade-
cimiento o la pre-
vención de catás-
trofes. No obstante,
en principio, el *nuberu*
es malo y se dedica a
provocar desastres por
todos lados. Suele andar por
las nubes y va siempre carga-
do de truenos haciendo soltar
a las nubes toda el agua y el gra-
nizo que llevan. En internet hallé
una reseña acerca de un determinado
nuberu local que tiene nombre y vive en
Egipto, donde es bien conocido: se llama Xuan
Cabritu, está casado y tiene mujer, hijos y hasta un
criado.

Los autores que mencionan al *nuberu* no se ponen de
acuerdo sobre su tamaño. Mientras que para unos es un viejeci-
llo pequeño y deforme, para otros tiene que ser de gran tamaño,
pues de lo contrario no podría cargar con los truenos y hacerlos
chocar. Eso sí, es feo a rabiar y, quizás por ello, lleva siempre un
gran sombrero de alas anchas y barbas descomunales. Se viste
con pieles y de vez en cuando baja a la tierra a ver el resultado de
sus hazañas. Sale por las mañanas a *facer la truena* (hacer tormentas) y vuelve a medianoche, con unos cuantos lagartos y
culebras.

Suele ser olvidadizo, pues se le escapan las nubes, que le llevan de un lado a otro con relativa frecuencia; en tales casos, el
nuberu tiene que pedir asilo en las casas y cabañas que encuentre.

Los vaqueiros de las brañas occidentales de la región lo llaman Renubeiro o Escolar. A diferencia de los de otras partes, el Escolar sólo vive durante la primavera y el otoño y, además, está todo chamuscado.

El *nuberu* tiene una particular aversión contra los curas, ya que éstos hacen sonar las campanas de las iglesias. Entre lo que no le gusta al *nuberu* está:

— El tañido de las campanas.
— Las palas de hornear, los *xurradoirus* (palos para manejar el fuego).
— Las hachas con el filo hacia arriba.
— Las velas benditas.
— El humo de laurel y de romero.

El *nuberu* se asocia, además de a las tormentas, truenos y relámpagos, a la niebla y a los aludes, si bien esto último no suele ser muy frecuente. No se conocen nuberas y, al contrario de

lo que pasa con las *xanas*, del *nuberu* hay noticias en prácticamente toda la región asturiana.

El cuélebre

Los cuélebres asturianos son serpientes aladas que viven en las cavernas, en la espesura de los bosques, en las fuentes de gran cavidad subterránea y en los torrentes cercanos a los castillos, aunque también se pueden encontrar en prados, espineras e incluso en los monasterios. Su distribución por la geografía responde prácticamente a la de las xanas, estando la parte occidental de Asturias prácticamente vacía de cuélebres.

Su origen es probablemente celta. Lo cierto es que se trata de una mezcla de dragón y serpiente, y los dragones han abundado en toda Europa y en todas épocas. Es bien sabido lo mal que los dragones lo hicieron pasar a los primeros evangelizadores de Irlanda, y, por las fuentes escritas medievales, sabemos de infinidad de dragones locales asociados a ciudades y villas. El

emblemático dragón de San Jorge es un ejemplo conocido. Está claro que los dragones debían ser normales en toda la zona de influencia del arte románico, por la cantidad de ellos que se representan, en tímpanos, dinteles y capiteles.

Los cuélebres son unos magníficos guardianes y lo que mejor guardan son tesoros. Físicamente son horrorosos: su piel, recubierta de escamas, está prácticamente blindada, salvo debajo de las barbas, y, aunque vive muchos años, envejece como lo hace cualquier mortal. Sus escamas son durísimas y sólo se le puede dar muerte hiriéndole en la garganta o haciéndole tragar algo que no pueda digerir. Pero en la madrugada mágica de San Juan el cuélebre se aletarga y pierde parte de su poder, y es entonces cuando pueden ser rescatadas sus prisioneras (Ayalgas o Atalayas) o sus fantásticos tesoros.

La serpiente siempre ha sido el animal mítico por excelencia, el guardián de los tesoros más preciados por el hombre. Para algunos, el cuélebre lo que realmente guarda es el saber real y la tradición esotérica. Para otros, a este ser se le ha encomendado la tarea de guardar los mundos subterráneos donde habitan las razas ocultas a los ojos de los hombres. En ocasiones las razas de los pueblos subterráneos han buscado jóvenes humanas para convertirlas en gente suya, y entonces estas jóvenes hacen compañía al cuélebre en su reposo como guardián dentro de las grutas. Se han dado casos en los que ellas, con sus dulces y lastimeros cánticos atraen a los pastores y a los viajeros que pasan por sus cercanías. Actualmente no se entiende muy bien este proceder, quizá en tiempos más lejanos buscaban contactar con los seres humanos, o tal vez, estos caprichosos seres tenían otros motivos que no alcanzamos a conocer en la actualidad

El asunto es que los valientes que deseaban conseguir los tesoros ocultos en el interior de las cavernas debían matar primero al cuélebre que moraba en su interior. A veces eran ayudados por las jóvenes, pero en otras ocasiones debían enfrentarse solos a semejante prueba. Cuando los aventureros entraban en el

interior de la cueva, el cuélebre detectaba rápidamente su presencia en la oscuridad, pues nada puede evitar que la temible bestia despierte de su letargo cuando alguien se aproxima. La sola visión del animal hace palidecer, y muchos han sido los que al quedar paralizados por el terror fueron devorados por la bestia infernal. Otros de ánimo más templado intentaban clavar su espada en la lengua o debajo de las barbas del cuélebre, pues esta es la única manera de acabar con su poder.

El trasgo

El trasgo, o *trasgu*, es un ser pequeño y travieso, que anda siempre por la cocina, por los desvanes y por las cuadras y corrales. Algunas descripciones físicas del trasgo lo pintan con cuernecillos, rabo y cierta cojera; otras, con unas piernas muy largas y delgadas,

así como con unos dedos de las manos larguísimos. El trasgo tiene un agujero en la mano izquierda. Es de humor voluble y si está de buenas no sólo no hay peligro de nada, sino que hay que estar incluso agradecido de que exista: hace todas las labores de la casa mientras los dueños de la misma duermen. Lo malo es cuando está de mal humor —o cuando la familia de la casa en que

vive no lo trata bien—, entonces revuelve la casa entera,
incordia al ganado y no para
de molestar.

Cuando el *trasgu* incor-
dia mucho a la familia con la
que habita, a veces ésta deci-
de mudarse, pero bastaría con contentarlo y así dejaría de
molestarles. El *trasgu* manifiesta entonces un carácter peculiar:
no es la casa lo que parece gustarle, sino la familia que la habita,
y cuando ésta se marcha, él también se va con ella, para su deses-
peración. En este sentido, los trasgos no están muy alejados de
otros personajes similares que se dan en Alemania, en Escocia,
en Francia, en Rusia y en otros lugares. Son todos pequeños
duendes domésticos, semejantes a gnomos vestidos con ropas
andrajosas, sucios y peludos, torpes
con las manos y los pies.

Los anglosajones no saben
cómo desembarazarse de
estos duendes, por lo
que comúnmente tie-
nen que mudarse. Pero
dicen que: "…debe ha-
cerse el cambio a toda
prisa y sin muchas dis-
cusiones previas, de lo
contrario ellos se ente-
rarán y se introducirán en
el camión de la mudanza…"

Pero en Asturias sí saben bien cómo desembarazarse de un trasgo. Los métodos empleados son básicamente tres:

— Ordenarle traer un cántaro de agua.
— Hacerle recoger del suelo mijo o linaza.
— Ponerle a blanquear la piel de un carnero negro.

Es decir, cosas imposibles para el pobre *trasgu*.

El busgosu

Mitad humano, mitad caprino (en algunas zonas, incluso se le ve con apariencia de batracio), tiene enormes cuernos de cabra y ojos muy ardien-
tes; vive en la espesura de
los bosques y, ataca, o
más bien asusta, a los
cazadores y leñadores, a
las mozas, etc. Aun así,
sería injusto considerarlo
un personaje exclusiva-
mente dañino, ya que
tiene mucho en común
con el pacífico fauno de
la mitología grecorroma-
na. No debe confundirse
con el *musgosu*.

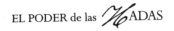

El *musgosu*

Se trata de un hombre alto, sombrío, con aire cansado, que anda por las brañas vestido con una zamarra de musgo, sombrero de hojas y escarpines de piel de lobo, mientras toca un son triste en su flauta para guiar a los pastores perdidos. Por las noches silba desde las cumbres cuando un peligro se cierne sobre ellos. Compasivo y trabajador infatigable, repara las chozas de los vaqueros que han sido derribadas por el temporal. Es tan real como el busgosu.

El *arquetu*

Se trata de un anciano de largas melenas rojas y una cruz verde en la frente, rodeada de llaves y candados pintados. Se viste de blanco y lleva siempre consigo un arca de oro y una talega que enseña a la gente para que no malgaste los caudales. En sus viajes por toda la región reparte monedas relumbrantes entre los pobres que han perdido su hacienda, pero siempre con la condición de que las empleen en recuperarla, pues, de lo contrario, los castiga a pedir limosna de por vida.

El diañu burlón

El *diañu* o diaño burlón es más grosero y desaprensivo que los trasgos. Los diaños andan generalmente por los caminos, prados y huertos. El diañu tiene algunas propiedades extrañas, como la de cambiar de peso, tamaño y volumen a voluntad, produciendo, cuando se presenta en forma de montura, incontables sufrimientos a quienes lo montan, además de ser legendarias sus habilidades para orinarse encima de la gente. Sus fechorías son siempre nocturnas y acaban en medio de grandes carcajadas. En algunas ocasiones se presenta con aspecto humano, generalmente de niño indefenso, pero es más común que adopte formas animales, siendo habitual las de cabrito (parece que en un concurrido baile que se hacía en una casa de Puerto de Vega se presentó un alto y guapo mozo y todas querían bailar con él, hasta que una de las mozas le vio la pata de cabrito y todas echaron a correr y entonces él se desvaneció en el aire, como si hubiese sido un mal sueño). Otras veces aparece como cerdo (una mujer pobre y con muchos hijos encontró un *gochín* sin dueño y lo llevó a casa y lo metió en el cubil y, al día siguiente, cuando le quiso echar las sobras de comida, el *gochín* se había esfumado.

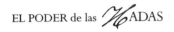

Pero tal vez lo más común es que se muestre como burro. El relato más difundido por toda Asturias es el del aldeano que va a montar en su burro, pero éste se niega a andar. Cuando finalmente logra que camine, el burro lo derriba en un lodazal, mientras se levanta de patas y ríe a carcajadas. La verdad es que en la íntima creencia popular aún quedan los temores a la acción malévola del diaño o diantre; de ahí, las formulillas que se siguen utilizando para ahuyentarlo, pero lo cierto es que cada vez son menos los que se asustan con él.

Los enanucos bigaristas

Son pequeños seres solitarios y misteriosos, no mayores que un puño, que se esconden en las toperas o entre las mieses y se pasan las horas silbando o tocando el bígaro con cientos de notas diferentes. A veces se dejan ver por los mortales, aconsejándoles sobre esto o aquello, pero si no se obedecen sus indicaciones se vuelven vengativos, como cierto enanuco de Iguña, reyezuelo del contorno, que envenenaba las fuentes al atardecer.

El sumicio

Es muy similar al *trasgu*, pero con una clara diferencia, que es la de ser invisible físicamente, a la par que hace desaparecer las cosas y puede ser dañino para las personas. Así, cuando se precisaban unas tijeras o un cuchillo en la casa y no aparecían, la malhumorada ama murmuraba: *"Paez que lo llevóu el sumicio"*. Pero el sumicio no se conforma con hacer desaparecer las cosas, lo cual no pasaría de ser el lado más o menos desenfadado de su actuación, sino que tiene poder suficiente para hacer daño, "sumiendo" a las personas, casi siempre niños (sumir es sinónimo de desaparecer). Aunque el sumicio es más perverso que el trasgo y resulta muy difícil deshacerse de él, siempre hay una posibilidad y en este caso, se trata de la oración de San Antonio, la cual, si va acompañada de una dádiva, da un resultado sorprendente, hallándose además pronto lo perdido, pues el santo bloquea los perversos poderes del sumicio. Pero al rezar la oración no se puede cometer ningún error, ya que entonces el objeto no aparecerá jamás

Las mozas de agua

Las mozas de agua las encontramos un poco en toda la península. Estos hermosos y pequeños seres habitan en los manantiales y en los remansos de los ríos y se caracterizan por lucir una estrella sobre la frente, caminar descalzas, vestir con capas de plata, y salir cada alborada a tender las madejas de oro que hilan por la noche. Cuentan las viejas leyendas que si algún

mozo logra coger una hebra de las madejas, las mozas tiran del hilo arrastrando al muchacho a sus palacios subterráneos, llenos de riquezas, para casarlo con una de ellas.

Las anjanas

En Cantabria se da el nombre de anjanas a unas hadas extremadamente bondadosas y bellas, verdadero prototipo de lo que debe ser un hada buena, aunque a veces les gusta adoptar el aspecto de ancianas dedicándose entonces a recorrer los pueblos para probar la caridad de las gentes. Quienes se comportan bien son premiados con regalos y dones, mientras que los que han sido mezquinos son castigados con picores espantosos que los obligan a rascarse continuamente. Un detalle propio de las anjanas es que llevan siempre una especie de báculo, cayado o bastón, con el que realizan todo tipo de portentos. Viven en el interior de la tierra, pero suelen salir a nuestro mundo al amanecer, para divertirse y ocuparse de diversos trabajos benéficos como reparar los árboles dañados, especialmente los robles, los abedules y los castaños. Vuelven a su mundo a media mañana y salen otra vez al caer la noche. Se dice que cuando alguien se pierde en el monte debe pedir ayuda a las anjanas, y de este modo encuentra fácilmente el camino de salida.

Ayalgas y atalayas

Las ayalgas y atalayas no son hadas propiamente dichas, sino mujeres encantadas que un buen día fueron llevadas al país de las hadas. Son de naturaleza benévola y su principal misión es custodiar tesoros en fabulosos castillos, a veces vigiladas día y noche por feroces cuélebres. Como prisioneras que son, su máxima aspiración es la libertad. Ciñen

su frente con violetas y en los días de otoño, en los bosques de robles, puede oírse su triste canto llevado por el viento.

Las lamias

Se las encuentra en el País Vasco, en Navarra y en otras zonas, especialmente del norte de España, aunque ha habido noticias de ellas en lugares tan meridionales como Cáceres. En Galicia se las conoce como Lumias. Aparecen ya mencionadas en un texto del siglo VI escrito por San Martín de Dumio, fundador del monasterio de Samos. Según el estudioso Jesús Callejo, suelen ser muy hermosas, sin embargo, por algún motivo no les está permitido mostrarse en toda su belleza, por ello se ven obligadas a adoptar alguna característica animal, como patas de oca, de cabra o de gallina. Su pelo es rubio y sedoso, sin embargo según dicen, al llegar la noche se vuelve blanco al tiempo que su piel se arruga, convirtiéndose de este modo en ancianas. Al principio eran seres subterráneos, a los que se asociaba con las construcciones megalíticas como dólmenes y menhires, pero posteriormente fueron apareciendo cada vez más en las cercanías de los arroyos y de las fuentes.

Mari

Es sin duda el más importante entre los seres elementales y mitológicos vascos. Se supone que inicialmente era una lamia, o incluso una diosa prerromana que cambió de nombre con la llegada del cristianismo. En muchos lugares del país vasco la palabra Mari significa "Señora" y va seguido del nombre de la montaña o de la cueva donde se suele aparecer. Normalmente se aparece como una mujer elegantemente vestida y su nombre se menciona siempre con gran respeto. Se la suele presentar de muchas formas distintas, unas veces sentada sobre un trono y otras en un carro que cruza por los aires tirado por cuatro caballos. También puede desprender llamas o incluso tener patas de animal, como las lamias. Aunque su forma varía mucho de unos lugares a otros, Mari es sin duda la personificación de un ser de un elevado nivel, con jerarquía sobre la Naturaleza y también sobre los espacios aéreos. No soporta la mentira, el robo, el orgullo o la jactancia, así como el incumplimiento de la palabra o el no prestar ayuda a los demás, cuando la necesitan.

Las mouras

Son, tal vez, las hadas gallegas más conocidas. Viven en las lagunas, ríos, castros, minas, pozos y cuevas, casi siempre debajo de la tierra. Su aspecto es el de mujeres muy bellas, por lo general de cabellos rubios y largos que peinan constantemente.

A veces suelen ser también guardianas de tesoros y en otras muchas ocasiones convierten en oro cualquier cosa, para regalársela al humano que las haya tratado de forma adecuada.

Gojes, encantats y dones d'aigua

Son antiguas divinidades menores femeninas que encontramos por toda Cataluña, Baleares y el País Valenciano, tanto en bosques como en lagos, fuentes, ríos y remansos. En muchas ocasiones, tan sólo el nombre las diferencia de las xanas o las lamias. Suelen ser bondadosas y muy bellas, y estar ataviadas con vestidos de una riqueza sorprendente. A veces presentan una refulgente estrella en la frente. Poseen lujosos palacios de oro y plata. Son los personajes centrales de multitud de romances y leyendas, basados siempre en sus encuentros con algún ser humano, muchos de ellos, ocurridos en la noche de San Juan. Se dice que sumergido en el lago de Bañolas existe un hermoso palacio, como de cristal, donde habitan estas hadas las cuales, durante unos momentos, se hacen visibles en algunas noches de luna llena.

La Dama Blanca

Suele aparecer en las noches de luna llena y con viento. Va ataviada con una túnica blanca y lleva una luz en la mano. Es un ser de mal agüero, por lo que los campesinos catalanes recomiendan taparse los ojos o cambiar de rumbo cuando alguien sospeche que podría encontrarse con ella. En realidad tiene más que ver con el mundo de los difuntos y de los fantasmas que con el de las hadas y los espíritus de la Naturaleza. Es muy popular en algunas zonas de Mallorca.

El follet

El área de los follets abarca toda la zona oriental de la península, incluyendo las islas Baleares. Son seres de tamaño reducido, que evidentemente pertenecen al elemento aire, pues se les suele asociar con los remolinos y con todo tipo de vendavales, produciendo además un silbido particular, muy parecido al del viento. En general son simpáticos y laboriosos, aunque pueden también llegar a ser descarados y causar algunos daños pues les encanta cambiar las cosas de lugar. Antiguamente cada familia tenía tu follet protector, que se ocupaba de guardar la casa en ausencia de sus dueños, dando vueltas por ella durante toda la

noche para asegurarse de que todo estuviera en orden. Si se les trata bien y se les mantiene ocupados no suelen dar problema; sin embargo, si están ociosos y de mal humor pueden dedicarse a perseguir a los pobres animales de las granjas, hasta hacerles caer por los barrancos.

Las hadas en Andalucía

En las tierras de Andalucía es frecuente que en las leyendas, la mayoría procedentes de la época musulmana, se confunda a las hadas y a las ninfas de las aguas con mujeres encantadas. Una curiosa leyenda granadina procedente de aquellos tiempos refiere el caso de un manantial cercano al Albaicín, cuyas aguas se vertían entonces en el río Darro. Resulta que el hada que habitaba aquella gruta era en extremo caprichosa y se entretenía en cambiar, según su estado de ánimo, el sabor del agua del manantial. Cuando estaba alegre y dichosa las aguas tenían una sabor

dulce y proporcionaban felicidad a cuantos las bebían. Sin embargo, cuando por algún motivo lloraba, sus lágrimas, al mezclarse con el agua la volvían totalmente amarga, haciendo que ningún ser humano pudiese beberla.

* * *

Para terminar ya con esta breve relación de los seres mágicos que pueblan nuestras tierras, quiero mencionar la experiencia que el padre Francisco Palau vivió en el islote de Es Vedrà, muy cerca de Ibiza, donde permaneció recluido entre los años 1855 y 1866.

Francisco Palau nació en Aytona (Lérida) en el año 1811, y fue ordenado sacerdote en 1836. Vivió once años exiliado en Francia y al volver a España se le confinó por motivos políticos en Ibiza. Allí fundó el Convento de los Carmelitas, realizando varios retiros muy prolongados en el islote de Es Vedrà. Durante estos retiros el padre Palau experimentó diversas visiones místicas y tuvo contactos con seres de otros niveles que más tarde relataría en su autobiografía titulada *Mis conversaciones con la iglesia.*

En ella cuenta cómo lo llevan a Es Vedrà en un bote y tras ascender la escarpada ladera, encuentra una gruta en la que el agua gotea, lo cual le tranquiliza pues, como él mismo dice "con una sola gotera tengo suficiente para mi consumo". Se dedica todo el día al rezo y a la meditación. Al día siguiente ya tuvo lugar el primer encuentro. Dice el padre Palau:

Se pasó el día y la noche. El mar estaba en paz, el aire muy suave, el cielo algo cubierto por algunos nubarrones, la luna en cuarto creciente y con una luz muy opaca... Vi venir frente a mí de lejos una sombra... al paso que se aproximaba distinguí lo que era. Venía sola y la figura representaba una niña de 16 años, cándida, bella y amable. Al instante de haber llegado se abrieron los cielos y a la luz radiante del sol vi quién era la que tenía yo delante... vi a la hija del Eterno Padre en toda su belleza, cuanto posible es al ojo mortal. Mi pena era no verla con la claridad que yo deseaba pues un velo cubría su cara, aunque era muy transparente...

En noches suce-
sivas el padre Palau es
visitado por aquella
figura femenina (para
él, la Virgen). Descri-
biendo otra de sus
visiones dice:

*Retiróse tanta luz
y tanta claridad y
pude ver su bellísimo cuerpo. Vi su cabeza coronada de gloria, sus
cabellos eran hilos de oro purísimo y cada uno de ellos despedía
luz, que formaba como una corona echando luz por todas partes,
hacia arriba y alrededor, y me dijo una voz: "No mires, porque es
un misterio".*

Algunos investigadores han sugerido que lo
que el padre Palau tuvo en el islote fue un
contacto con extraterrestres, mientras otros
sostienen que realmente experimentó una
aparición mariana, como él siempre creyó.
Otros están convencidos de que fue una manifestación femenina, telúrica y simbólica de la madre Naturaleza. Dice Jesús
Callejo —cuyos libros sobre los seres mágicos de España reco-
miendo encarecidamente— que también podría tratarse de una
simple alucinación, aunque desde el momento en que para el
padre Palau fue real y la consignó por escrito, merece que nos
ocupemos de ella. Un mismo fenómeno puede prestarse a

muchas interpretaciones, pero este caso, debido a sus características, tiene mucho que ver con las apariciones de hadas y otros espíritus de la Naturaleza.

El padre Palau abandonó el islote en 1866 y se dedicó a predicar en distintos lugares de la isla. Cuenta en su biografía que desde entonces siempre le acompañó la bella Señora y que en su nombre conjuraba los elementos para que no lloviera ni hiciera frío. Al igual que ocurrió en el caso de Anne Jefferies, desde entonces comenzó a realizar curaciones milagrosas e incluso fue objeto de varias denuncias por curar a la gente sin ser médico. Murió en Tarragona en 1872, a los 61 años de edad. Precisamente gracias a las curaciones y a otros milagros bien documentados que realizó, fue beatificado en 1988 por el papa Juan Pablo II. En cuanto al islote de Es Vedrà, en la década de los 60 llegó a ser un símbolo del movimiento *hippie* y actualmente está deshabitado, siendo de propiedad privada.

2ª parte

TEORÍAS, MENSAJES
Y ELUCUBRACIONES

Dorothy MacLean
y FINDHORN

Tras haberse quedado sin trabajo y sin recursos económicos, en el año 1962 el matrimonio formado por Peter y Eileen Caddy, junto con sus tres hijos y su amiga Dorothy MacLean, tuvieron que retirarse a vivir en un remolque estacionado en un *parking* de caravanas en la playa de Findhorn, un lugar pedregoso e inhóspito en el norte de Escocia. El tiempo pasaba y todo intento por encontrar un trabajo remunerado resultaba infructuoso. Finalmente el pequeño subsidio de desempleo se agotó también abriéndose así ante la familia un negro panorama. Entonces los espíritus de la Naturaleza comenzaron a comunicarse con ellos, especialmente a través de Dorothy, dándoles instrucciones detalladas sobre la forma de iniciar un huerto en aquel mísero lugar, donde ni lo desapacible del clima, ni el suelo pedregoso y pobre parecían augurar nada bueno. Sin embargo, siguiendo los consejos de los devas (esta palabra, de origen sánscrito, es la que Dorothy utilizó siempre para referirse a estos seres) acerca de la manera en que debían tratar y cultivar las diferentes plantas y hortalizas, éstas comenzaron a crecer de un modo espectacular, cultivándose pronto hierbas y flores de docenas de tipos distintos, las más famosas, ya legendarias, fueron unas coles que llegaron a pesar 18 kilogramos. La noticia se extendió de boca en boca y pronto horticultores expertos procedentes de todo el mundo se trasladaron a Findhorn quedándose asombrados ante los resultados que pudieron observar.

Lo que comenzó siendo un modesto huerto de un puñado de metros cuadrados se fue ampliando. Findhorn pronto se hizo muy famoso. Grandes árboles crecieron en un tiempo récord y hoy, cuarenta años después, toda la zona es un maravilloso vergel, donde los humanos siguen conviviendo armónicamente con otros reinos de la naturaleza en lo que es una floreciente comunidad espiritual. En todo el mundo se han publicado docenas de libros relatando el milagro de Findhorn. Seguidamente transcribo algunas comunicaciones recibidas de los espíritus de la

Naturaleza o devas, como los fundadores de Findhorn preferían llamarles.

Instrucciones dadas a Dorothy por un deva del reino vegetal sobre la forma adecuada de preparar las hortalizas:

> *Nos hemos encontrado antes. Cada vez que un ser humano dirige su atención o su emoción hacia una planta, una parte de esa persona se une a una parte nuestra y nuestros mundos se conectan. Por eso los seres humanos están tan conectados a nosotras, pero hasta que no seáis conscientes de esa conexión, esta será como inexistente y permanecerá sin desarrollarse. Las plantas contribuyen a alimentar al hombre y en ello hacen una entrega total de sí mismas. Este hecho también crea unos lazos que son tangibles. En el pasado teníais esos lazos mucho más presentes que ahora. Una forma de reforzar tales lazos sería ser conscientes de vuestros alimentos y disfrutarlos. Cuando disfrutáis nuestro sabor, nuestra esencia se incorpora a vuestro ser con mucha más facilidad. De ese modo os abrís a nuestra influencia y dejáis que ésta se expanda en vosotros.*

Como vemos, el deva se identifica con la planta. Sería por tanto el propio espíritu de la planta el que habla. Otro deva le dijo a Eileen Caddy, también en relación con los alimentos:

Es muy importante que disfrutéis de lo que estáis comiendo y que no comáis por obligación. Cuando te canses de comer ensaladas un día tras otro, no te esfuerces en seguir haciéndolo simplemente porque los demás lo hagan o porque te hayan dicho que es lo más saludable. Es importante que aprendas a disfrutar de cualquier cosa que hagas y antes que nada, de tu alimentación. Si no te gusta la ensalada, te aportará mucho más comer un puñado de pasas con nueces y almendras, o cualquier otra cosa que realmente te apetezca. La próxima vez que no disfrutes de lo que estás comiendo, detente y toma algo distinto. Tienes que cambiar tu actitud en este sentido. Y esto os lo digo a todos. No seáis como un rebaño de ovejas.

En otra ocasión el deva le dijo sobre el mismo tema:

Es bueno que cuando prepares las verduras seas realmente consciente de lo que estás haciendo, así las radiaciones de la luz penetrarán mejor en vuestros alimentos. Cuando tengas en tus manos una patata verás que es algo de una gran belleza, algo que está vivo y que vibra... Cuando prepares una ensalada y sientas en tus manos las distintas verduras, deja que tu mente

piense en cómo llegaron cada una de ellas a su estado actual. Siente cómo algunas tuvieron que luchar para salir adelante, mientras que para otras el proceso de llegar a la madurez fue una fiesta de libertad y placer. Los pensamientos y sentimientos de este tipo son importantes, pues ayudan a que la fuerza de la vida se incorpore mejor a vuestro organismo...

... sois lo que pensáis. Sed siempre conscientes de ello. No creáis que vuestro cuerpo se convertirá en un cuerpo de luz sin que tengáis que hacer nada al respecto... Vuestra actitud a la hora de alimentaros debe ser de alegría, de placer y de agradecimiento...

Las siguientes palabras del deva de un árbol frutal nos recuerdan las alegres danzas de las hadas, tan mencionadas por quienes las han visto.

La felicidad es muy importante. Éste es un secreto que se ha vuelto desconocido para el hombre a medida que corre tras sus deseos de posesión y poder. Desearíamos que cada ser humano nos escuchase, y comprendiese que no vale la pena hacer nada a menos que se haga con alegría y que en cualquier acción, los motivos que no sean el amor y la alegría echan a perder los resultados y que el fin no justifica los medios. Nosotros sabemos y vemos esas cosas. Vosotros, en lo más profundo, también lo sabéis. ¿Podéis imaginaros una flor hecha por deber o por obligación? ¿Creéis que después endulzaría el corazón de los que la observen? No, no tendría el aura adecuada. Por eso, nosotros danzamos con la vida, creando a medida que nos movemos, y esperamos que os unáis a nosotros.

Devas del pasto:

Nos complace que tanta vida dependa de nosotros. Somos generosos, felices servidores y protectores, conectando con la vida que hay debajo y la vida que camina por la Tierra, vida que se escurre

y se oculta... porque somos bosques para la gente chiquita. Nos diseminamos y crecemos, y nos diseminamos nuevamente. Sin nosotros, éste sería un mundo estéril, carente de interés. Nuestra abundancia es generalizada, si bien atada a la tierra, arrastrándonos para cubrir cada grieta. Sabemos qué debemos hacer y lo hacemos, una y otra vez. No sentimos resentimiento hacia quienes se pasan la vida cortándonos con los dientes. Adelante vamos, alegremente, cerca de la Tierra, cerca de la lluvia y el aire. En este maravilloso mundo estamos contentos de estar vivos, contentos de crecer, simplemente contentos.

El deva de un arbusto en flor:

Estamos aquí desde antes de que pensarais en nosotros, estamos siempre con nuestras plantas. Sentimos afecto por cada pequeña que está a nuestro cuidado porque nos gusta verla crecer y sentimos el más vivo placer por ser parte de su desarrollo. Ni el poro más pequeño está fuera de línea. Tallamos y unimos los elementos, y tallamos nuevamente siguiendo el ejemplo del diseño único del Planificador Infinito.

¡Y qué divertido es! Cada pequeño átomo se mantiene en su patrón con alegría. Vemos que vosotros, los seres humanos trabajáis con monotonía, haciendo cosas sin entusiasmo porque "hay que hacerlas", y nos asombra que la resplandeciente vida

que os fue dada pueda haber sido tan desfigurada y tan despojada de sustancia. La vida es alegría; cada pequeño mordisco de una oruga en una hoja es dado con más entusiasmo que el que percibimos en los humanos... y una oruga no tiene mucha consciencia. Nos gustaría sacudiros esa apatía y ayudaros para que veáis que la vida es siempre brillante, creativa, floreciente, creciente y decreciente,
eternamente una. Mientras hablo contigo estoy promoviendo pacíficamente el crecimiento en la planta. Mantengo su maravilloso patrón en incontables lugares, y aun así permanezco libre, absoluta y completamente libre, porque soy la vida del Señor. Me remonto hasta el cielo más elevado; me torno parte del corazón de todos. Estoy aquí, allá y en todas partes, y mantengo mi patrón a la perfección sin desviarme. Resplandezco de vida. Soy vida. Soy uno y soy muchos. Me retiro con un saludo, contento de haber estado contigo, contento de que hayas apreciado lo que dije, y aún más contento por volver a nuestro mundo de luz. Pensad bien de nosotros; pensad en nosotros con luz.

Al principio, la mayoría de los mensajes contenían instrucciones concretas sobre el modo de cultivar las plantas:

Si deseas un crecimiento fuerte y natural de las hojas, las plantas deberán estar más separadas de lo que están ahora. Con esta separación obtendrás hojas más pequeñas, algo más tiernas pero con menos fuerza vital. Yo prefiero verlas desarrollarse totalmente, pero tú eres quien debe decidir...

Cuando Dorothy enseñaba a Peter este tipo de mensajes, él solía hacer una lista de preguntas, que posteriormente eran formuladas a los espíritus que supervisan el crecimiento de las distintas plantas pues en principio ninguno de los participantes tenía la más mínima idea de agricultura. Otras veces los mensajes versaban sobre asuntos menos ligados al propio cultivo, como el siguiente dado por el deva de una planta de guisantes:

Puedo hablarte, humana. Estoy enteramente dedicada a mi obra, que está planeada y moldeada y que yo meramente hago realidad,

no obstante, has llegado a mi consciencia. Mi obra es hacer que los campos de fuerza se manifiesten a pesar de los obstáculos, que mucho abundan en este mundo infestado por el hombre.

El reino vegetal no guarda rencor a aquellos que alimenta, pero el hombre toma lo que puede como si fuera una cosa natural, sin agradecer nada, lo cual nos hace extrañamente hostiles. Nosotros avanzamos, sin desviarnos nunca de nuestro curso por ningún pensamiento, sentimiento o acción momentáneos... Vosotros podríais hacer lo mismo. Los humanos generalmente parecen ignorar hacia dónde van o por qué. Si lo supieran, podrían ser unos centros de poder enormes. Si avanzaran en línea recta, ¡cómo podríamos cooperar con ellos! He transmitido mi mensaje y me despido de ti.

Michael
ROADS

Michael Roads nació cerca de Cambridge, en Inglaterra,
pero a los 27 años emigró a Tasmania donde durante poco más
de una década se dedicó a la cría de ganado vacuno. En este
periodo abandonó los métodos convencionales y adoptó técnicas
de ganadería orgánica. Este hecho operó en él un cambio interior trascendental, que le permitió reconectarse con la
Naturaleza. Así, un buen día descubrió que poseía la capacidad
de comunicarse de manera inteligente y articulada con el espíritu de las plantas, los animales e incluso de las rocas y los ríos. Al
comienzo se sintió perturbado por esta extraña facultad, pero
finalmente, cuando no pudo ya seguir más tiempo negando sus
experiencias permitió que los espíritus de la Naturaleza lo guia-
ran y le ayudaran a encauzar su vida. Con frecuencia las inteligencias que se comunicaban con Roads le instan a ser consciente

de la unidad que subyace en la totalidad de la creación y también le hablan de su profunda preocupación por el papel que el hombre, en su inconsciencia, puede jugar en el destino de la Tierra. Estos son algunos de sus comunicados:

Tu presencia es bienvenida.
Estás volviendo a conectarte con una conciencia que se compara con los débiles ojos que parpadean ante el sol. Pero, al contrario de lo que ocurre con los ojos, la conciencia puede soportar la luz cegadora que se hace más fuerte, se expande, se abre a vistas cada vez más amplias. Has caminado a menudo entre nosotros, ciego ante nuestras sutilezas, sordo a nuestros susurros de verdad. Ahora vuelves, con el nacimiento de la totalidad que alimenta tu corazón. Te damos la bienvenida como humano, como la humanidad.

El siguiente mensaje lo recibió Michael mientras estaba descansando sentado sobre un tronco, en medio de un bosque de gigantescas coníferas:

Es bueno que visites estos lugares. Siempre damos la bienvenida a los que pasean por ellos con amor en el corazón. Es una sabia medida que vengas a adaptarte, a respetar y a admirar. El respeto y la reverencia pueden convertirse en las puertas que abran paso a realidades más elevadas de la Naturaleza. Sólo llamando a esas puertas con humildad puede alcanzarse lentamente la armonía. Aprende a conocer tu Ser y a comprender lo que supone ser humano, pues hay mucho que comprender. Igual que cada árbol tiene sus raíces que son sus predecesoras, cada época de este planeta tiene su propia raza. ¿Puedes, aunque sólo sea un momento, darte cuenta de que la humanidad de hoy no es más

que la predecesora de otra raza de hombres? Sin embargo, esto ha de ocurrir cuando de las ruinas de esta civilización vuelva a resurgir otra humanidad. Ya ha ocurrido muchas veces y se repetirá en otras ocasiones. En cada época, la humanidad alcanza un punto máximo de poder. Hasta ahora el hombre ha elegido siempre el poder de la destrucción. Así, mientras que un árbol crece debido a la semilla, el hombre cosecha la semilla que ha sembrado. Sólo cuando la humanidad alcance su más alto grado de sabiduría *concluirá este ciclo. En ese momento surgirá otro nuevo orden de prioridades. En nuestro ciclo actual, el hombre ha llegado una vez más a un punto en el que tiene en su poder la semilla de su destrucción. Esto dará lugar al principio y al fin, al mismo tiempo.*

* * *

La conciencia humana está cambiando. Hay cada vez más personas que hablan con los espíritus de los árboles y de otras plantas. Esto ha sido difícil de aceptar para los hombres actuales. Habláis con vuestros animales sin dificultad y sentís empatía con el reino animal, pues es el reino con el que el hombre se identifica. Desde el punto de vista humano, el reino de las plantas es inferior al hombre; así, no conseguís daros cuenta de que la humanidad es una síntesis de los reinos mineral, vegetal y animal. Vuestra mente racional experimenta al reino vegetal como si no tuviera ninguna emoción ni inteligencia consciente. El fracaso a la hora de experimentar y comprender una verdad no cambia esa verdad; sólo limita vuestra capacidad para relacionaros con la vida tal como "es", en lugar de como vosotros la veis. Mientras despierta una nueva era, vuestra raza, para sobrevivir, descubrirá que la Naturaleza percibida desde fuera de vuestro Ser no es más que un reflejo de vuestra propia naturaleza interna. Muchas personas sienten ya esa conexión con una mayor comprensión, incluso como tú la experimentas ahora.

Junto al aviso, tan frecuente en los comunicados procedentes de inteligencias incorpóreas, de que estamos acercándonos al final de una era "de las ruinas de esta civilización volverá a resurgir otra humanidad... ya ha ocurrido muchas veces y se repetirá en muchas otras ocasiones..." las palabras de estos mensajes en el sentido de que la Naturaleza, percibida desde fuera de nuestro Ser, no es sino un reflejo de nuestra naturaleza interna hacen vibrar en nosotros una fibra muy sensible, trayéndonos a la mente las palabras de otros seres elevados: "Mirad que todo cuanto veis fuera de vosotros no es sino un reflejo de vuestros estados interiores..." "No vemos el mundo tal como es, vemos el mundo tal como somos" dice el Zohar.

Si no puede verse, oírse, tocarse, olerse o gustarse, el hombre físico no percibe. Los cinco sentidos del hombre son las cuatro paredes y el techo de vuestra prisión. Descártalos. El tacto no capta formas sutiles. Los ojos no perciben la realidad. Los oídos no oyen la canción del universo. No puedes saborear los alimentos de los ángeles ni oler la fragancia de una verdad superior. Nos alegra que comiences a aflojar las cadenas de esa limitación. Utiliza tus sentidos físicos, goza

de ellos, pero nunca creas en ellos como realidad completa, ni por un momento. *Tu corazón sabe, experimenta. Cree, cree. Lo que tú crees, es.*

"Lo que creemos, somos". El ser de la Naturaleza le está diciendo a Michael que el ser humano posee el poder de crear.

...está emergiendo una verdad mayor para la humanidad. Habéis nacido para ser creadores. Dioses de poder olvidado. Os sentís hojas caídas de un árbol que pensáis que no os pertenece, cuando en realidad sois la totalidad del árbol. Tratáis de desarrollar lo que está desarrollado. Tratáis de descubrir lo que está descubierto. Intentáis dar forma en el mundo material a aquello que ya poseéis. Queréis apoyaros en vuestras ilusiones, en las que podéis creer con más facilidad. Así desarrolláis vuestra debilidad en lugar de vuestra fuerza... Pero somos Uno... y mi amor te arropa.

Seguidamente, el deva parece querer consolarlo:

Sé paciente con tu humanidad. Ser humano es un privilegio, un honor. Fija en la consciencia la idea de que tú, un ser humano, no estás limitado a las experiencias corpóreas. Tú como ser humano puedes experimentar el universo, la totalidad, la Unidad; pero esa posibilidad no negará una identidad con el cuerpo humano. La consciencia se expandirá y todo entrará a formar parte de tu Ser. Tu identidad será el cuerpo de la "tierra-hombre", será la humanidad, en vez del cuerpo de "un hombre", de un ser humano. Ahora continúa. Disfruta del río. Soy consciente de tu malestar.

* * *

El tiempo en que los grandes bosques llenaban muchos valles como éste no está separado de este tiempo. En la dimensión con la que el hombre se relaciona, los bosques han desaparecido y los que quedan están en peligro de extinción. Pero es un momento de paso. Esta es la realidad con la que el hombre está sintonizado, pero no la realidad como "es". Si la vida no proporcionara la ley exacta de causa y efecto a vuestro sentido de realidad, no podríais aprender nada. Aprender requiere que experimentéis la polaridad de la acción. Pero la humanidad no está confinada a la realidad física. El hombre puede darse cuenta de su conciencia superior y sondear zonas más elevadas de verdad y realidad. Vuela sobre los bosques y alimenta tu corazón, pues los bosques son más reales que la ilusión que les niega un doble físico.

Ken
CAREY

Siguiendo una especie de impulso interior, un buen día Ken Carey dejó su empleo en Correos y compró una casa en pleno monte, a unos 20 kilómetros del pueblo más cercano. En ella viviría durante los próximos siete años con su esposa y sus hijos, sin electricidad, agua corriente, radio, televisión, periódicos ni revistas. Sus prioridades en esa época fueron criar sanos a sus hijos y cultivar alimentos saludables. El agua la transportaban desde un manantial cercano y para calentarse y cocinar cortaban leña. En verano, nadaban en el río y exploraban las cuevas de los alrededores. En invierno, por la mañana, rompían el hielo del abrevadero para que los animales pudieran beber. Según sus propias palabras, sus vidas transcurrían en unión con la Tierra, enraizándose en el suelo, en los demás y, dentro de sus posibilidades, en Dios. Y así fue pasando el tiempo. El huerto creció y

los niños se hicieron mayores. También, todos ellos paulatinamente empezaron a ser más conscientes de las cosas. Se fueron haciendo cada vez más sensibles a los suaves ritmos y ciclos que se suceden sobre la Tierra y se integraron en el rítmico transcurrir de las estaciones. Escuchaban el crujido de las ramas del árbol en el fondo del riachuelo y el canto del cuco en el crepúsculo. Aprendieron a imitar el canto de la lechuza y el de otros pájaros. Por la mañana temprano, mientras desayunaban, observaban desde la ventana de su cocina a los pavos salvajes. Mantenían constantemente una hilera suplementaria de legumbres para que los ciervos pudieran comer y según confiesa Ken, "no pudimos evitar escuchar... lo que toda la naturaleza nos estaba diciendo." Y así, un buen día, comenzó a recibir mensajes. "Con el tiempo, llegué a comparar mi cuerpo con un aparato de radio capaz de sintonizar diferentes frecuencias. En algunas de ellas, descubrí una sabiduría práctica y profunda, que podía ayudarme a ser más compasivo y enriquecer mis relaciones con mi familia, con la naturaleza y la sociedad. Pero percibí también frecuencias más bajas. En ellas encontré seres que pronto demostraron un hecho digno de mención en esta época de tanto interés por las cuestiones espirituales y ocultas: el hecho de no poseer cuerpo físico no implica la presencia de una inteligencia superior. Sin embargo, descubrí la existencia de seres de un grupo totalmente distinto. Su naturaleza es tal, que nuestra terminología común sólo puede aludir a ella vagamente. Son entidades de gran inteligencia, que pueblan las frecuencias más elevadas de lo que entendemos como luz y energía, y viven, respiran y reciben su propio ser de la eterna presencia de esa realidad a la que llamamos Dios. Son criaturas dignas de conocerse. De hecho, creo que en ninguna otra época se ha necesitado tanto la inteligencia que ellas pueden proporcionarnos. Sus pensamientos, sus ideas y sus puntos de vista pueden ayudarnos a ver el mundo con más claridad, en un mo-

mento en que nuestra generación hace malabarismos con los desafíos que suponen la inestabilidad económica, las armas nucleares, la contaminación ambiental e incontables dificultades sin resolver. La comunicación con esos seres eternos puede contribuir a crear en el ser humano un nuevo pensamiento que, en lugar de repetir las pautas que provocan los problemas, nos

ofrezca soluciones. He observado, al igual que otros, que esos seres no son todos del mismo tipo, sino que pertenecen a numerosas tribus o familias y que cada grupo tiene sus propios objetivos y distintos campos de actividad. Algunos de ellos por ejemplo, no acostumbran a intervenir en la Tierra, ni en la vida de sus habitantes. En tanto que otros han estado íntimamente vinculados a este planeta desde su origen, representando el papel de agentes y supervisores de su desarrollo orgánico. Dentro de esta segunda categoría de seres asociados con la vida biológica, hay un grupo especial ocupado de la educación humana. Aunque esas entidades –que en ocasiones toman forma humana– tienen

proyectos de naturaleza general y a largo plazo, su meta inmediata es liberar a nuestra especie de lo que ellos llaman "el maleficio de la materia". Durante el invierno de 1986-87 tuve una sucesión de encuentros especialmente significativos con seres de este tipo. Con pocas excepciones, esos encuentros tomaron la forma de diálogos, que grabé en cintas magnetofónicas que después transcribiría mi esposa ..." Los siguientes son algunos de los mensajes recibidos por Ken Carey de estos seres que, con nuestro limitado entender podríamos calificar como devas o como espíritus de la Naturaleza de un orden muy elevado.

* * *

Durante tres billones y medio de años, nosotros, hemos adaptado y mantenido con exactitud la temperatura planetaria más adecuada para vuestro desarrollo y evolución. No debéis temer al hecho de cooperar con el Creador y con nosotros. Estáis en buenas manos, protegidos por nuestro amor. El miedo, que durante tanto tiempo os ha atenazado el corazón, os ha impedido comprender nuestro mensaje; sin embargo, ahora estáis preparados para recibirlo. Os ayudaremos a sintonizar la frecuencia del amor que curará al mundo enfermo y os atraerá hacia las estrellas. Escuchad y sentid en vuestras palabras esa frecuencia en la que se revelan por siempre los designios del Eterno.

* * *

Somos los guardianes espirituales de la Tierra, vuestro reflejo en el amor perfecto, somos la dimensión que os falta para alcanzar la plenitud. Acogednos en vuestra conciencia y recordad. Conoceos

como lo que sois: *verdadera y completamente humanos. El hombre verdadero capta la voz del río y le da expresión, capta la voz del viento y le presta las palabras que no puede pronunciar sin lengua humana, se mezcla con la esencia del bosque, con los espíritus de la lluvia y de toda criatura viva de cualquier especie animal, los representa y extrae lo mejor de su naturaleza. Toda forma viva es energía* en constante cambio que se manifiesta en la materia y fluye siempre hacia algo capaz de mayor expresión, desarrollo y revelación del mundo espiritual. El hombre verdadero ha sido creado para contribuir a la evolución de todas las formas vivas y favorecer su capacidad para revelar de modo más perfecto la verdad que se encuentra en el corazón de Dios. A través de este hombre especial se expresa la esencia de todos los seres creados, pero su voz es la voz del Espíritu, que dice:

"Yo aparezco en la tierra, en el mar, en el aire, en la luz de las estrellas y en el Sol. Aparezco en las montañas y en la lluvia que refresca el desierto. Soy la piedra y la estrella. Soy pájaro y pez, mar y cielo. Eternamente Uno, me desdoblo, me multiplico, me refracto como un rayo de luz a través del prisma de múltiples gotas de agua, perlas suspendidas en la más alta esfera de la Tierra. Resplandeciente, vengo a conmover la superficie del mundo material con un vibrante coro multicolor de hombres y mujeres luminosos, creados para dotar a esta danza sagrada de las formas atómicas, de orden, belleza, gracia y amor".

* * *

Ahora, muchos nos conocen. De modo creciente, nuestra conciencia se filtra, un día y otro, a través de miles de pensadores creativos, nuestras ideas y perspectivas burbujean bajo la superficie de

docenas de nuevas películas, de cientos de nuevos libros y de millares de artículos periodísticos y canciones populares. Actualmente, el género humano forma una única comunidad que recibe y escucha una nueva información que en potencia tiene gran relevancia. La actual civilización del mundo se basa en unas premisas tan erróneas como las de cualquier otra civilización anterior con respecto a la separación entre Dios y el hombre; sin embargo, ha acelerado con gran dinamismo nuestras enseñanzas a la raza humana y ha aumentado la inteligencia humana hasta límites insospechados. Lo que hace dos siglos sólo podíamos comunicar fragmentariamente a unos pocos individuos aislados, está ahora a punto de ser comprendido por cientos de millares de personas.

* * *

Lo que vosotros llamáis materia es la obra de arte en que nos hemos afanado durante veinte millones de años. La hemos esculpido en forma de sistemas estelares, de galaxias y de un universo tan variado como el espectro del arco iris. Somos los hijos de la luz. Nos han encargado la labor de crear la realidad dimensional. Convertimos la música del fulgor de las estrellas en orden, estructura y belleza. Nuestro espíritu manifiesta los designios del Creador en toda la vida de este planeta, desde los bosques de secuoya a los microbios, desde el pajarillo de pluma más fina a la más sólida ballena del océano, pero sólo vosotros, humanos, podéis encarnar con vuestra verdadera esencia la total realidad de lo que somos nosotros y de lo que es el Creador.

* * *

Nuestra labor creativa se centró en lo biológico. Creamos frutas y verduras de formas y tamaños diferentes: patatas, maíz, judías, cacahuetes, cidras, melones, calabazas, batatas, ñame... Creamos también nuevas formas de vida que interpretaron la luz y el sonido de otro modo: hermosas aves, criaturas inteligentes con las que nos comunicábamos como si, con nosotros, estuvieran invitadas en la casa de nuestra Tierra Madre. Tratábamos a los espíritus de animales y plantas como amigos iguales que nosotros. De vez en cuando, surgían dificultades y cometíamos errores, pero siempre encontrábamos el modo de recuperar la armonía...

* * *

Nuestra presencia entre bastidores a lo largo de la historia ha pasado inadvertida a la visión humana porque las gentes carecen de visión y ceden su percepción a otros. Se niegan a aceptar realidades que no pueden expresarse fácilmente con palabras. Creen que, si en su lengua materna no hay palabras para designarlas, si nadie habla de ellas, es porque no existen. Estas personas, de hecho, dejan que otros "vean" por ellos. Renuncian a su poder y se convierten en prisioneros involuntarios de una ficción popular centrada en el lenguaje, incapaces de advertir nuestra presencia...

* * *

Hombres dominados por el ego: si vuestro organismo siguiera en su funcionamiento las mismas pautas que determinan vuestra conducta, quedaría obstaculizada cualquier asociación cooperativa entre ribosomas, enzimas, mitocondrias y otras formas de vida, que no podrían producir ni siquiera una célula y, menos aún, un cuerpo íntegro y sano.

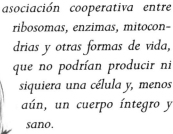

El cuerpo humano está formado por cientos de miles de seres microscópicos que colaboran de modo voluntario. No se trata de la supervivencia de los más capacitados, como proclaman vuestras creencias, que se basan en la observación a corto plazo, sino del florecimiento de los que más cooperan, como confirma la observación a largo plazo del universo. Sólo mediante la cooperación recíproca se adaptan y se desarrollan las diversas formas de vida. Y sólo mediante la cooperación simbiótica de multitud de organismos más sencillos, comienza la existencia de otros más complejos, como vuestro cuerpo. En los estadios críticos de su evolución, las formas de vida cooperan, por su propio beneficio, con otras distintas. Con el tiempo, pasan de cooperar a quedar unidas, con lo que surge un nuevo organismo. En la creación de formas de vida complejas se repite, una y otra vez, el mismo procedimiento. Esto es análogo a lo que volverá a ocurrir cuando el mundo llegue al momento adecuado... Vuestra raza está a punto de experimentar un despertar generalizado...

* * *

Venimos para ayudaros a pasar del mundo inconsciente de la biología a una biología consciente que cree con nosotros. Con nuestra presencia, pretendemos que esta época de grandes cambios resulte lo más grata posible. Nuestro propósito es trabajar en cooperación con vuestra especie, llevaros a la armonía con el Creador y con la Tierra, ayudar a crear un mundo que se ocupe de todos, un mundo que permita el óptimo desarrollo de la capacidad creativa. Hay ya muchos seres humanos que se nos unen. Siempre que vemos un corazón deseoso de honrar a los espíritus del amor acudimos a él...

La razón es un instrumento valioso. Pero la mente ha sido creada para servir al espíritu humano, no para eclipsarlo. El espíritu, en armonía con las energías creativas que vibran bajo la superficie de la tierra, determina el comportamiento de modo mucho más rápido y efectivo que el ego con su lento razonamiento lineal. Observad el rico y asombroso mundo que os rodea prescindiendo de ese razonamiento y superando vuestra individualidad. Sentid sus impresiones cambiantes como un caleidoscopio que gira lentamente, desplazando y disponiendo de otro modo colores, matices, formas

y vibraciones que, de modo incesante, se precipitan unos sobre otros. En todo momento, tenéis a vuestro alrededor la información requerida. Siempre os rodea la verdad de lo que es, la energía invisible del viento, que os hace señales. Los espíritus que toman forma en la tierra entran por primera vez en el plano material en los sutiles niveles del ser que preceden al viento. En su mayoría, toman posesión del viento solar y viven sólo durante un día, una hora o un momento. Se forman a su alrededor en la parte alta de la atmósfera: son egos de cristal, de hielo, que se derriten antes de tocar la tierra. Sin embargo, algunos aprenden a vivir durante más tiempo. Algunos consiguen encarnarse en plumas y piel... las criaturas encarnadas en forma biológica —en plumas, hojas o carne—, se forman gracias a la red de energía que rodea la tierra,

donde la atmósfera se fusiona con la luz de la estrella más cercana. Esa red de energía es la imagen perfecta de un hijo implícito en el orden del universo, el hijo en el que comienza a despertar el espíritu del Eterno. Es el ser de Dios, que atrae la biosfera hacia un único cuerpo viviente. En la naturaleza, todo late con un sentimiento de ese ser: las ondas del océano, las colinas, las montañas. Cada partícula de materia contiene la información global de todo lo creado, que brilla en todas las cosas.

* * *

Sabíamos que algún día vuestra propia inteligencia os llevaría a buscarnos de nuevo, y mantuvimos las condiciones que favorecían esa posibilidad en germen. Cuidamos de la tierra y le asignamos a nuestros espíritus más luminosos. En esta era, nuestra paciencia se ve recompensada. Por fin algunos de vosotros alzan los ojos y ven más allá de las miopes interpretaciones del ego. Ahora nos percibís y nos comunicamos con vosotros. Intentamos expresarnos con las palabras de vuestro lenguaje, sin embargo, es como si habláramos por señas, mediante la sombra de nuestras manos, proyectada en la pared de una cueva iluminada por el vacilante fuego de vuestro interés. Estas letras impresas en las páginas de un libro no son sino un tosco y primitivo simbolismo, pero constituyen un comienzo. Porque, cuando comprendáis la realidad que se oculta tras nuestras palabras y sigáis la dirección de nuestro pensamiento, se producirá una transformación en vuestra vida: abandonaréis la engañosa cueva de la historia para entrar en el jardín iluminado por el sol que ha sido siempre vuestro hogar verdadero.

* * *

Vuestro ser y el ser de Dios son uno. Observando el mundo que os rodea, percibiendo la información diaria de las delicadas energías que preceden al viento, notáis las estaciones. Con cada fibra de vuestro ser sentís las variaciones climáticas. Sentís a los espíritus de las estrellas y sois conscientes de que el viejo mundo está pasando. Podéis ver a los Hijos de la Luz que salen danzando de la tierra y que perciben claramente el mundo de la realidad. Su cuerpo es una réplica de sí mismos. Su mente es luz. Pertenecen a la nueva conciencia, son nuestras llamas que se elevan a través de los relucientes lagos del entendimiento. La conciencia surge en el fondo de vuestro corazón, viene de las estrellas, comenzando la objetivación de una presencia largamente esperada en este mundo.

El mundo vive en vuestro interior y sus criaturas son los órganos de vuestro cuerpo, son parte de vosotros, son vosotros. Sois el órgano de conciencia de este mundo y estáis despertando. Vuestro ser y el ser de Dios son uno.

La unida de
la *V*IDA

Ciertamente, el nivel de los seres que se comunican con Dorothy MacLean, con Ken Carey y con Michael Roads parece tan distinto del de los gnomos traviesos que se entretienen escondiendo cosas o de los elfos iracundos y vengativos como un mosquito o una cucaracha difieren del ser humano. Como explica Leadbeater en su texto sobre los espíritus de la Naturaleza, la gradación en la inteligencia y la conciencia de estos seres es tan variada o más que la se da entre las distintas criaturas que pueblan el mundo físico. Por eso Dorothy prefiere denominar a sus contactos con el nombre genérico de devas, pues esta palabra sirve tanto para designar a los espíritus de la Naturaleza que tienen

encomendadas labores de un nivel muy elevado, como para las miríadas de espíritus más humildes que están bajo sus órdenes y que se afanan cumpliendo gozosos su cometido en diferentes niveles de jerarquía y responsabilidad. Los seres de quienes emanaron estos comunicados recibidos por Dorothy, Ken y Michael muestran una responsabilidad y una asociación muy clara con el funcionamiento y las estructuras de la Naturaleza, pero también les preocupa la evolución del hombre y del planeta en su totalidad, siendo muy conscientes de la Unidad de todo cuanto existe e intentan ayudar a que esa consciencia se implante en el hombre. En general, aman y respetan al ser humano, pues, al hallarse en una posición distinta a la nuestra con respecto al transcurrir del tiempo, son conscientes del brillante futuro al que el hombre está destinado, pero al mismo tiempo les preocupa nuestra irresponsabilidad y nuestra actual ceguera.

Junto al constante mensaje de que tanto el reino vegetal como todo cuanto existe en la Naturaleza está vivo y posee algún tipo de conciencia, los devas insisten una y otra vez en la importancia de que seamos conscientes de la Unidad de toda Vida e incluso de todo cuanto existe. Los espíritus de las plantas le explicaron a Dorothy MacLean que nuestra verdadera conexión reside en que todos procedemos de una Fuente común, y en un cierto nivel, somos esa Fuente, aunque usualmente tengamos la sensación de estar separados de Ella. ¿Por qué el hombre se empeña en vagar en sus propios y pequeños mundos aislados como si fuese la única inteligencia, cuando todo a su alrededor son mundos, estallando de conciencia y plenos de conocimiento? Inmersos en nuestra sensación de estar separados hacemos cosas terribles. Nuestro apego a la realidad física, nuestro entendimiento tridimensional, nuestras facultades para clasificar, medir y separar, son ilusorias, consideradas desde el nivel en que todo funciona como manifestación de Una Sola Vida. El espíritu de un clavel le dijo a Dorothy en una ocasión:

Todos poseemos libertad para entrar y salir sin impedimentos en la existencia de unos y otros. ¿No veis que el propósito de la vida es manifestarse totalmente en los niveles exteriores, y al mismo tiempo estar absolutamente unidos y conscientes de la Unidad? La realidad es eso. Una sola vida respira a través de todo. Reverenciad la vida toda, pues es parte de vosotros y vosotros sois parte de ella.

Y estas son las palabras de otro deva en el mismo sentido:

Sois hijos de los elementos, estáis formados por ellos y sois parte de ellos. El mundo y vuestros cuerpos fueron hechos para que halléis y expreséis la alegría y el gozo del Creador en todas sus manifestaciones. El hombre se está destruyendo a sí mismo porque piensa que está separado de todo lo demás. ¿Cómo podéis pensar que estáis separados? ¿Cómo es posible que ignoréis que, cuando sopla, el viento es parte de vosotros? ¿Que el sol es parte de vosotros en cada uno de sus rayos? ¿Cómo podéis ignorar que procedéis del agua y que el agua os une a todos? ¿Que sin el aire que respiráis no podríais vivir? ¿Cómo podéis ser tan cerrados para no daros cuenta de que cuando uno sufre, la conciencia entera de la Tierra participa de ello, y que cuando uno se alegra, la conciencia entera lo sabe y se regocija? Los cuerpos de todos vosotros son uno con todo lo que os rodea y no podéis abusar de la Tierra sin dañaros a vosotros mismos.

Estas palabras henchidas de sabiduría traen a nuestro espíritu un texto de hace dos mil años. Se trata del *Evangelio de los Esenios*, también conocido como *El Evangelio Esenio de la Paz*. Es un escrito en arameo que fue descubierto en 1923 por Edmond Bordeaux Szekely en los archivos del Vaticano. La semejanza de su mensaje con las palabras de los espíritus de la Naturaleza es impresionante. Así hablaba el Maestro Jesús, según consta en el Evangelio de los Esenios:

> *La sangre que en nosotros corre ha nacido de la sangre de nuestra Madre Terrenal. Su sangre cae de las nubes, brota del seno de la tierra, murmura en los arroyos de las montañas, fluye espaciosamente en los ríos de las llanuras, duerme en los lagos y se enfurece poderosa en los mares tempestuosos.*
>
> *El aire que respiramos ha nacido del aliento de nuestra Madre Terrenal. Su respiración es azul celeste en las alturas de los cielos, silba en las cumbres de las montañas, susurra entre las hojas del bosque, ondea sobre los trigales, dormita en los valles profundos y abrasa en el desierto.*
>
> *La dureza de nuestros huesos ha nacido de los huesos de nuestra Madre Terrenal, de las rocas y de las piedras. Ellas se yerguen desnudas hacia los cielos en lo alto de las montañas, son como gigantes que yacen dormidos en*

las laderas, como ídolos levantados en el desierto, y están ocultos en las profundidades de la tierra.

La delicadeza de nuestra carne ha nacido de la carne de nuestra Madre Terrenal. Carne que madura amarilla y roja en los frutos de los árboles, y nos alimenta en los surcos de los campos. Nuestros intestinos han nacido de los intestinos de nuestra Madre Terrenal, y están ocultos a nuestros ojos en las profundidades invisibles de la tierra. La luz de nuestros ojos y el oír de nuestros oídos nacen ambos de los colores y de los sonidos de nuestra Madre Terrenal, que nos envuelve como las olas del mar al pez, o como el aire arremolinado al ave...

Continúa el Evangelio de los Esenios:

En verdad os digo que el Hombre es Hijo de la Madre Terrenal, y de ella recibió su cuerpo, del mismo modo que el cuerpo recién nacido nace del seno de su madre. En verdad os digo que sois uno con la Madre Terrenal; ella está en vosotros y vosotros estáis en ella. De ella nacisteis, en ella vivís y a ella de nuevo retornaréis. Guardad por tanto Sus leyes, pues nadie puede vivir mucho ni ser feliz sino aquel que honra a su Madre Terrenal y cumple Sus leyes. Pues vuestra respiración es Su respiración; vuestra sangre Su sangre; vuestros huesos Sus huesos; vuestra carne Su carne; vuestros intestinos

Sus intestinos; vuestros ojos y vuestros oídos son Sus ojos y Sus oídos...

Como si supiera de esta incursión en un texto de otra época, el deva sigue diciéndole a Dorothy:

Ciertamente éste no es un mensaje nuevo, pero la humanidad no parece darse cuenta de que la Unidad no está confinada a los niveles elevados en que el hombre ha colocado a Dios, sino que existe aquí mismo y ahora. Perturbar los patrones de la Tierra y la interrelación de la vida natural es interferir con los procesos del Uno y arruinar las perspectivas del futuro de la humanidad. Es necesario que el hombre reconozca esa Unidad. No podemos expresar con suficiente firmeza cuánto urge esa necesidad. ¿Os asombráis ante la violencia de los elementos? Si el hombre no recoge este mensaje y actúa en consecuencia, pronto serán todavía más violentos. Amad la totalidad de la vida pues sois uno con ella. No olvidéis que todo es parte del Creador y también parte vuestra.

Sigue diciendo Dorothy: "Los devas, al compartir conmigo vehementes e impresionantes mensajes sobre el tema de unidad de la vida, me convencieron de la verdad de ese concepto; pero fueron sus actos los que lo hicieron real. Vi que ellos actuaban desde la conciencia de la totalidad. Tuve conciencia, por primera vez, de este comportamiento cuando un deva decía "yo", y después "nosotros"; es decir, a veces hablaba como un individuo y a veces como un grupo. Había una falta de ego o de conciencia de sí que le permitía a un deva ser él mismo, o ser el todo, o ser nada, con la misma facilidad. No le interesaba mucho quién estaba en escena con tal que se expresara lo que debía ser expresado. Gradualmente, comprendí que los humanos podíamos hacer lo mismo actuando desde la unidad, de la unidad que surge de un sentido de responsabilidad hacia el todo. Las siguientes ideas, transmitidas por el espíritu de la salvia no pueden ser más claras:

A medida que os vayáis haciendo conscientes de los mundos de energía que subyacen tras las formas y os sintonicéis con ellos y en la medida en que aprendáis a dominar los patrones de energía creados por vuestros propios pensamientos y sentimientos, podréis controlarlo todo. Pero mientras mantengáis el sentimiento de separación, mientras penséis que algo de vuestra vida está fuera

de vosotros y podéis culpar a otros de lo que os sucede, permane-
ceréis en la ignorancia. Estaréis fuera de la realidad de la Unidad
y nuestros mundos de energía estarán más allá de vuestra comprensión. Cuando aceptéis la unidad de la vida, toda la vida será
vuestra y vosotros seréis toda la vida.

Las HADAS y espíritus de los árboles y las plantas

Los daneses creían que algunos saúcos cobraban vida por la noche y miraban por los cristales de las ventanas de las casas para ver si había alguien. También se dice que las hadas viven debajo de un saúco. Hasta hace muy poco, en la Alemania rural, todas las casas tenían su propio arbusto de saúco. Si resultaba absolutamente necesario cortarlo, era preciso arrodillarse, quitarse el sombrero (en caso de que se tuviera puesto uno) y decir lo siguiente: "Señor, dame algo de tu madera y yo te daré también algo de la mía cuando crezca en el bosque". Fórmula muy semejante a la que utilizan los chamanes de México cuando toman algo de alguna planta: le piden permiso y le aseguran que un día, su cuerpo les servirá de alimento a ellas, quedando así el ciclo cerrado. El siguiente fragmento de Carlos Castaneda es tan divertido como aleccionador:

155

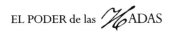

—*Voy a hablar aquí con mi amiguita* —*dijo don Juan, señalando una planta pequeña.*

Se arrodilló frente a ella y empezó a acariciarla y a hablarle. Al principio no entendí lo que decía, pero luego cambió de idioma y le habló a la planta en español. Parloteó sandeces durante un rato. Luego se incorporó.

—*No importa lo que le digas a una planta* —*dijo*—. *Lo mismo da que inventes las palabras; lo importante es sentir que te cae bien y tratarla como a un igual.*

Explicó que alguien que corta plantas debe disculparse cada vez por hacerlo, y asegurarles que algún día su propio cuerpo les servirá a ellas de alimento.

—Conque, a fin de cuentas, las plantas y nosotros estamos parejos —dijo—. Ni ellas ni nosotros tenemos más ni menos importancia.

"Anda, háblale a la plantita —me instó—. Dile que ya no te sientes importante."

Llegué incluso a arrodillarme frente a la planta, pero no pude decidirme a hablarle. Me sentí ridículo y reí. Sin embargo, no estaba enojado.

Don Juan me dio palmadas en la espalda y dijo que estaba bien, que al menos había dominado mi temperamento.

—De ahora en adelante, habla con las plantitas —dijo—. Habla hasta que pierdas todo tu sentido de importancia. Háblales hasta que puedas hacerlo delante de los demás.

"Ve a esos cerros de ahí y practica solo."

Le pregunté si bastaba con hablar a las plantas en silencio, mentalmente.

Rió y me golpeó la cabeza con un dedo.

—¡No! —dijo—. Debes hablarles en voz clara y fuerte si quieres que te respondan.

Caminé hasta la zona en cuestión, riendo para mis adentros de sus excentricidades. Incluso traté de hablar a las plantas, pero mi sentimiento de estar haciendo el ridículo era avasallador.

Tras lo que consideré una espera apropiada, volví a donde estaba don Juan. Tuve la certeza de que él sabía que yo no había hablado a las plantas. No me miró. Me hizo seña de tomar asiento junto a él.

—Obsérvame con cuidado —dijo—. Voy a conversar con mi amiguita.

Se arrodilló frente a una planta pequeña y durante unos minutos movió y contorsionó el cuerpo, hablando y riendo.

Pensé que se había salido de sus cabales.

—Esta plantita me dijo que te dijera que es buena para comer —dijo al ponerse en pie—. Me dijo que un manojo de estas plantitas mantiene sano a un hombre. También dijo que hay un buen montón creciendo por ahí.

Don Juan señaló un área sobre una ladera, a unos doscientos metros de distancia.

—Vamos a ver —dijo.

Reí de su actuación. Estaba seguro de que hallaríamos las plantas, pues él era un experto en el terreno y sabía dónde hallar las plantas comestibles y medicinales.

Mientras íbamos hacia la zona en cuestión, me dijo como al acaso que debía fijarme en la planta, porque era alimento y también medicina.

Le pregunté, medio en broma, si la planta acababa de decirle eso. Se detuvo y me examinó con aire incrédulo. Meneó la cabeza de lado a lado.

—¡Ah! —exclamó, riendo—. Te pasas de listo y resultas más tonto de lo que yo creía. ¿Cómo puede la plantita decirme ahora lo que he sabido toda mi vida?

Procedió a explicar que conocía desde antes las diversas propiedades de esa planta específica, y que la planta sólo le había dicho que un buen montón de ellas crecía en el área recién indicada por él, y que a ella no le molestaba que don Juan me lo dijera.

Al llegar a la ladera encontré todo un racimo de las mismas plantas. Quise reír, pero don Juan no me dio tiempo. Quería que yo diese las gracias al montón de plantas. Sentí una timidez torturante y no pude decidirme a hacerlo.

Él sonrió con benevolencia e hizo otra de sus aseveraciones crípticas. La repitió tres o cuatro veces, como para darme tiempo de descifrar su sentido.

—El mundo que nos rodea es un misterio —dijo—. Y los hombres no son mejores que ninguna otra cosa. Si una plantita es generosa con nosotros, debemos darle las gracias, o quizá no nos deje ir. La forma en que me miró al decir eso me produjo un escalofrío. Apresuradamente me incliné sobre las plantas y dije: "Gracias" en voz alta.

Ciertamente, el mundo que nos rodea es un misterio. Aunque en este pasaje don Juan no menciona a las hadas, está claro que a quien habla no es al ser físico de la planta sino al espíritu que la anima. En este caso se trata de un espíritu tan poderoso que incluso podría atrapar a quien no siga las normas o no se comporte debidamente.

En tiempos pasados, los leñadores incluso pedían su comprensión a todos los árboles, de cualquier tipo que fuesen, antes de derribarlos y grababan tres cruces en el tronco antes de que la copa cayera al suelo. Pero aunque hay que tratar con cuidado a todos los árboles, existen algunos con los que convendría extremar las precauciones ya que se supone que son los preferidos por las hadas. Entre estos, por supuesto, está el saúco. No está permitido producir nada de su madera, y, desde luego, no una cuna, porque el hada del saúco irritada con tal sacrilegio, no permitirá que el niño prospere.

Pero si por el contrario, se trata al árbol con consideración y se le llevan a su duende ofrendas con regularidad —en los países del centro de Europa éstas consisten básicamente en leche y cerveza—, entonces la casa y sus habitantes gozarán de protección.

"Bajo un saúco", se dice en un relato transmitido popularmente en Alemania, "se puso a salvo un pastor de todo posible accidente, de las serpientes, las brujas y de los mosquitos que ocasionan la muerte; tuvo unos bellos sueños y la suerte de verse rodeado de unos divertidos elfos que bailaban a su alrededor".

La mujercilla que encarna al saúco ayuda además en todo sufrimiento que pueda acaecer a sus protegidos. Así, si, por ejemplo, alguien tiene dolor de muelas, ha de andar hacia atrás con un cuchillo en la mano en dirección al saúco de su casa y decir sin mirarlo:

Querido señor,
préstame un trozo de tu madera, te lo devuelvo enseguida.

Luego corta una astilla de la madera y regresa de nuevo a su casa, caminando hacia atrás. Allí practica una incisión en la encía de la muela para sacarla, lleva la astilla de nuevo al árbol de la misma manera, la coloca en él y la ata con fuerza.

Resulta interesante que la costumbre de atar trapos en los árboles para que desaparezca una enfermedad o para pedir que llegue un niño no sólo se siga hoy en día en Oriente y en la India, sino también en Irlanda. Incluso en zonas católicas en las que existen los santos o la Virgen a los que se dirige la gente "oficialmente" para pedir algo, primero se les pide ayuda a los seres que viven en los árboles o en las fuentes cercanas.

Otro árbol que, junto al saúco, según la creencia popular aloja a las hadas, es el enebro. En un relato de los Hermanos Grimm el enebro otorga deseos a los niños y se convierte en el vengador de los malos y en el protector de los buenos. Un árbol también preferido por las hadas es el tilo. Bajo sus ramas se cerraban antes contratos y matrimonios, que así quedaban sellados. También se celebraban juicios. Se le consideraba milagroso y se dice que nunca le caen los rayos. En las tormentas, uno se coloca debajo de un tilo y deja que le mojen las gotas que caen de él, porque se cree que esa agua protege de las enfermedades y de los accidentes de todo tipo. Como ofrenda se le da leche, mantequilla o cerveza, para que conserven su buen humor los seres que habitan en él.

Y otro es la encina. Hay un relato en el que un leñador golpea una vieja encina, y de repente se presenta un hada ante él, le suplica que deje tranquilo al árbol y le dice que si accede a sus ruegos, le concederá tres deseos. También en el País de Gales se conocía la estrecha relación entre las hadas y las encinas. Un profesor vio él mismo en su camino a casa varias veces a las hadas bailar debajo de uno de estos árboles, sobre todo las noches de los viernes. No podía entender lo que hablaban entre ellas, pero a veces parecían no compartir las mismas ideas. El lugar de las hadas, con la implantación del cristianismo pasó a ser ocupado por el demonio, las brujas y, paradójicamente, la Virgen María. Así existen tantas encinas de las brujas como encinas dedicadas a la Virgen, a las que se hacían peregrinaciones y en algunos lugares todavía se siguen haciendo. En algunos lugares católicos apenas hay una sola encina centenaria en la que no se haya puesto un cuadro de la Virgen María. Igualmente, bajo una viejísima encina bailaban los elfos en Irlanda las noches de luna llena: "Había muchos reunidos, unos se extendían bajo las sombras más lejanas de las ramas de la encina; a otros se los veía radiantes bajo la luz de la luna que penetraba entre las hojas; a algunos se los podía ver tan tranquilos, sin ser molestados por nadie, sentados en los troncos."

Además a las hadas les gustan también los nogales, los manzanos, los fresnos, los olmos y los alisos, pero tal vez sobre todos los demás, su árbol preferido sea el espino. En muy diversos países se considera que en ellos viven las hadas, los duendes y otros seres incorpóreos. Lo viva que se ha mantenido la creencia, se puede ver en el siguiente relato de un irlandés de comienzos del siglo XX:

Como encargado de una gran propiedad en el condado de Meta, hará unos veinte años les ordené a mis hombres que cortaran un determinbado espino. Se hallaba justo en medio de un campo y resultaba muy molesto cuando había que arar y realizar otros trabajos. Siete u ocho hombres, uno tras otro, se negaron a ponerle la mano encima a dicho árbol. Decían que en él habitaban las hadas y que todo lo que había a su alrededor les pertenecía. Tenían miedo de destrozar algo que pertenecía a la buena gente, por lo que no me quedó más remedio que cortarlo yo mismo.

En el año 1968 un periódico irlandés informaba que un contratista y sus trabajadores se habían negado a tirar un viejo y nudoso árbol, que impedía la construcción de una nueva carretera en Donegal. "Yo no me atrevía", explicaba el contratista, "a cortarlo y tampoco quería ordenar a ninguno de mis hombres que lo hiciera. He oído tantas cosas sobre los árboles de las hadas que no quise arriesgarme".

Como para la construcción de un hospital, igualmente se hacía necesario cortar varios espinos, tras una larga búsqueda se consiguió por fin encontrar un voluntario. Este hombre tiró el árbol y contestó a las advertencias de los demás con osadas palabras. Según el investigador MacManus, esa misma noche sufrió un ataque de apoplejía, al que sobrevivió apenas un año. Por otra parte, el hospital, nunca fue terminado. En muchas historias de Irlanda, Inglaterra y también Suiza, la gente trata con mucho cuidado a estos espinos, y por ello, son premiados por sus inquilinos.

Según la creencia popular, no todos los árboles tienen la misma relación con las hadas. Pues hay especies que nunca suelen aparecer en este tipo de historias. Otras plantas típicas de las hadas son los helechos, el tomillo silvestre, la acederilla, la hiedra y —esto aunque sólo sea en las pinturas y en los cuentos— las campanillas con las que tantos elfos se adornan en las imágenes. Desde la época de Shakespeare, los elfos son ya impensables sin sus adornos florales. Una de las artistas más conocidas, que se ha ocupado de este tema, es Cicely Mary Barrer, autora de muchas de las imágenes que adornan este libro. Las dulces cabecitas de los elfos con pelo rubio o castaño siempre están adornadas por flores que pueden ser campanillas, lilas, rosas o amapolas. La hierba de San Juan o hipérico, la hiedra y los helechos no resultan muy decorativos para la mayoría de las pintoras e ilustradoras, pero los gustos de las hadas no siempre coinciden con las plantas más decorativas. Las campanillas, tan utilizadas por las pintoras de hadas, se adecuan perfectamente en las ilustraciones como sombrerillos para los elfos pero no existe ningún dato indicador de que las hadas tengan alguna preferencia por ellas, como sí ocurre con los helechos y con la hierba de San Juan.

Parece que las hadas no se dejan influir por el aspecto externo. Dado que muchas de ellas están a cargo del desarrollo y la evolución del mundo vegetal, conocen la botánica muy bien y saben perfectamente qué plantas son efectivas y cuáles pueden ayudar en una u otra enfermedad, así como cuándo es el

momento adecuado para recolectarlas. Al menos en el pasado, las hadas permitían que la gente se aprovechara de sus conocimientos e instruían a aquellos que se dignaran a escucharlas.

Este es el excelso mensaje que el espíritu de un pino escocés le dio a Dorothy MacLean en los jardines de Findhorn:

Los árboles somos como una membrana protectora para la Tierra y en esa membrana se efectúan cambios necesarios. Somos los centinelas externos de ese cambio, y somos capaces de hacer nuestro trabajo donde otros no podrían.

Nos vanagloriamos de ello; nuestra más elevada alabanza emana como el aroma de una flor. Bendecimos a todos los que vienen y descansan en nuestra aura, en nuestros bosques, aunque los humanos —absortos en sí mismos— no sean conscientes de nuestra presencia. Los árboles, enraizados guardianes de la superficie, que atraemos las fuerzas superiores hacia la Tierra a través del suelo, tenemos una ofrenda especial para

el hombre en esta era de velocidad, apresuramiento y negocios. Somos calma, fuerza, permanencia, alabanza y fina armonización, todo lo cual es sumamente necesario en el mundo. Somos más que eso. Somos expresiones del amor del Creador por su vida abundante, singular e interrelacionada. Tenemos un propósito. No podemos prescindir unos de otros, no importa lo aislados o autosuficientes que parezcamos en un sentido geográfico. La totalidad de la vida está aquí ahora, y es nuestro privilegio el hacer sonar nuestra nota especial. Ven a nuestro lado siempre que puedas, y aprovecha para elevar tu consciencia.

En otra ocasión le dijo el espíritu de un ciprés:

Vastas regiones necesitan de nosotros, y por nosotros quiero significar los grandes árboles en general. Simplemente, no podemos enfatizar esto lo suficiente. Somos la piel de este mundo; eliminadnos y todo el planeta, ya incapaz de funcionar, se resecará y morirá. Dejadnos ser, y toda criatura se llenará de satisfacción; la vida continuará su secuencia natural, siendo cada vez más consciente de la unidad de todo cuanto existe.

La preocupación por la creciente degradación del planeta es un tema recurrente en todos los mensajes recientes de los espíritus de la Naturaleza. El deva del Fresno le habló a Dorothy MacLean de la decreciente porción de la Tierra que iba quedando en estado natural, y suplicó que fuésemos guiados en nuestro control de la tierra siguiendo los métodos de la Naturaleza. Debemos recordar siempre que cada planta ocupa un lugar en el todo. Otros espíritus de árboles dijeron que los árboles ayudan al hombre a mantener su estabilidad mental, y que, a este fin, cerca de las grandes ciudades debería haber montes con bosques. Otro deva del Ciprés, con su fuerte "voz" volvió a mencionar la necesidad de que la superficie de la tierra tenga grandes árboles, diciendo:

El planeta clama por nosotros al unísono; pero el hombre, dedicado a sus propios asuntos, sigue absorto su camino. Nosotros continuamos iluminando desde arriba, listos para desempeñar nuestro papel, como siempre. Ha habido enormes cambios en el pasado a medida que esta Tierra evolucionaba, pero en tanto el sol brille y la vida dependa del agua, nuestro rol ha sido y continuará siendo necesario. Todo en la vida cambiará, será más leve, más feliz y más consciente; pero, no obstante, tendremos mucho que hacer. Nuestros propósitos fluyen con tanto vigor como siempre. Los sentimos marchando a través de nosotros en olas de fuerza que provienen de la Fuente, y aprovechamos cada oportunidad para transmitirle al hombre la necesidad de que haya bosques. Quisiéramos llegar a su mente para que sepa, sin duda alguna, de esa necesidad. El hombre se ha hecho cargo de apenas una parte de su papel como creativo Hijo de Dios y está actuando sin la sabiduría requerida para desempeñar ese papel. Intentamos que esto quede claro para él. Lo que ahora importa es la consciencia. Nuestros mundos naturales son esenciales; gran parte de los mundos del hombre, creados con un sentido de separación, no son esenciales. Juntos, podemos crear una Tierra mejor.

En una ocasión, mientras Dorothy caminaba por el bosque sintió una tremenda pureza que provenía de los árboles. El deva de un árbol, explicándole que esa pureza emanaba de su sintonía con las energías divinas, le dijo:

Hay algunos humanos a quienes no les agrada nuestra pureza, pues es ajena a su ambiente habitual, y también otros que no la sienten porque son demasiado egocéntricos. Aquéllos que se tienden a nosotros, a ésos los elevamos. Cuando estáis en nuestra aura y os aproximáis a nuestro ser, sois elevados porque nos hallamos en sintonía. En realidad, podemos ayudar mucho a los humanos a obtener paz interior. Debería haber siempre amplias regiones donde los árboles reinemos soberanos y sin ser perturbados, en las que podamos brindaros solaz. Esas regiones harían esencialmente mucho por la curación de las naciones.

Cuando Dorothy preguntó a los espíritus de los árboles si podía hacer algo por ellos, le respondieron:

El mayor servicio que nos puedes prestar es reconocernos y llevar nuestra realidad a la consciencia humana. Es cierto que, si bien hablamos como una sola voz, somos muchos; es cierto que somos la inteligencia luminosa de cada especie, no los espíritus de árboles individuales; es cierto que estamos vitalmente preocupados por la Tierra como un todo, porque vemos que la humanidad interfiere en detrimento de la unidad que llamáis este planeta, querríamos comunicarnos con el hombre para que se hiciera más consciente de la ley divina. Hemos sido parte del crecimiento humano en un pasado lejano; y ahora seguimos siendo parte de ese crecimiento. Reconoced nuestro rol. Reconoced la vida divina en todo. Di con firmeza que la Naturaleza no es sólo materia ni una fuerza ciega, di que es consciente y que tiene formas de manifestación que no percibís con vuestros sentidos. El hombre, a medida que se aproxime a la verdad, a pesar de su intelecto, nos reconocerá con su mente superior, y de este modo cumplirá los designios de Dios. Estamos agradecidos a cualquiera que divulgue esta verdad.

Los cuatro Elementos
y los SERES que los habitan

La filosofía griega utilizó los cuatro Elementos (Agua, Fuego, Tierra y Aire) no sólo para describir las formas que adopta la materia física, sino también como arquetipos o patrones para explicar todo cuanto existe en la Naturaleza, y esto tanto en sus reinos visibles como en los invisibles. Esta concepción perduró durante toda la Edad Media y el Renacimiento, influenciando profundamente al pensamiento y a la cultura europea. Pero el principio filosófico de los Cuatro Elementos es anterior a la Grecia antigua, existiendo mucho antes en la India y en China, pues se le encuentra tanto en la base del Hinduismo como del Budismo, especialmente en sus vertientes esotéricas.

Se considera que los distintos seres que habitan en cada uno de los Cuatro Elementos de la Naturaleza poseen cualidades propias y específicas, que los distinguen de los demás y que los identifican especialmente con dicho Elemento. El famoso vidente

173

y teósofo Vicente Beltrán Anglada, relata así su experiencia con los distintos seres que habitan los cuatro elementos de la Naturaleza: "… el agua no era para mí un simple compuesto químico, sino que era además el recipiente místico que albergaba a unas vidas inteligentes que aparentemente y en mutuas y desconocidas intercomunicaciones la construían. Aprendí, de esta manera, a aliar el agua con unas bellas criaturas etéricas que esotéricamente se denominan ondinas. Lo mismo me ocurrió al examinar ocultamente el aire, la tierra o el fuego, dándome cuenta de que en el seno de tales elementos existía una insólita y palpitante vida que llenaba el espacio con su poder psíquico. Comprendí progresivamente que estas vidas, las sílfides, las ondinas, las hadas, los gnomos, etc. y la multiplicidad de invisibles y desconocidos espíritus de la Naturaleza, eran expresiones de un poder más elevado ya que, tal como siempre había presentido, la ley de evolución contiene en sí el principio de jerarquía. Y es así, de forma suave y paulatina, como fui consciente de unas fuerzas psíquicas infinitamente superiores que utilizaban el Éter del Espacio como campo de expresión. Surgieron entonces ante mi exaltada y maravillada visión extensas gamas de devas, maestros en el arte de la construcción, los cuales dirigían una increíble hueste de pequeñísimos obreros, quienes con rara habilidad, creaban con sutilísimos hilos de luz etérica todas las formas físicas de la Naturaleza y descomponiendo aquella luz la dotaban de color y de las inherentes cualidades físicas y psíquicas que constituían la razón de ser de sus vidas, de su constitución y de su especie..." (Beltrán Anglada – *Los ángeles en la vida social humana*).

Los Seres del Elemento Agua

El elemento Agua ha sido siempre considerado como el principio femenino universal, el que preside las emociones y el inconsciente. Su esencia esta fuertemente relacionada con la fertilización, la maternidad y generación. Al igual que el Fuego, el Agua siempre estuvo ligada a los rituales de purifi-

cación, siendo usada tanto en los bautismos como en los exorcismos, por poseer la facultad de retener en su seno las energías negativas, además de ser un Elemento altamente conductor de las vibraciones sutiles. Ha sido desde siempre utilizada para religar al Ser humano con Dios. Al Elemento Agua pertenecen las ondinas, sirenas, ninfas y náyades, las cuales se encuentran en los océanos, lagos, ríos, y principalmente en las cascadas, donde van a divertirse en grupos. Su apariencia es femenina, carecen de alas y sus movimientos son de una gracia excepcional y de una belleza seductora. El primer testimonio literario sobre las sirenas nos lo brinda Homero. En *La Odisea* se cuenta cómo Ulises pudo escapar a los cantos maravillosos de estas criaturas. Prevenido del peligro por la maga Circe, el astuto rey de Ítaca no quiso perderse un concierto tan especial, por ello pidió a sus compañeros

que le atasen fuertemente al mástil del navío, mientras que ellos se taponaban los oídos con cera para no ser víctimas del encantamiento. Luego Ulises gritaba que lo desatasen, que le dejasen seguir a esos seres maravillosos... Y los marineros permanecían inconmovibles, sordos a los más bellos cánticos de toda la cuenca mediterránea... Cerca de allí, unos acerados arrecifes esperaban a los seducidos e imprudentes navegantes. Aunque en realidad las sirenas homéricas tienen poco que ver con las de hoy en día pues no tenían escamas, sino alas, y además un cuerpo como de pájaro. De hecho, aparte de los arrecifes adonde arrojan a los navíos, nada en ellas recuerda al medio marino. Su único poder milagroso reside en las fascinantes modulaciones de su voz, pero, de una forma u otra, el hecho es que han dado su nombre a las más conocidas criaturas mágicas de los mares.

El siguiente es un mensaje que el espíritu del agua le mandó a Michael Roads una mañana de primavera en que estaba sentado sobre una roca, junto al río en el que acostumbraba a bañarse:

Sé consciente de la vida que hay a tu alrededor. El brillante color del martín pescador bajo el sol de la mañana. Los peces que saltan en el río limpio y claro. El tibio sol sobre tus hombros. El dragón de agua que mira desde un tronco podrido. Sé consciente de la vida que hay aparte de lo que tú eres. Cada hoja rebosa de energía primaveral. La fuerza de la vida da a conocer su presencia en todas las criaturas que te rodean: Vida en la Vida. Escucha la silenciosa canción de mi voz. He hablado a la humanidad desde el principio de los tiempos. En una cascada de sonidos os llamo desde cada salto de agua. Con amoroso abrazo tomo vuestro cuerpo en las aguas de la tierra y os susurro suavemente. Os llamo de infinitas formas, ¡pero me oís tan pocas veces...! No podéis oírme con los oídos, sino con el corazón, con vuestra conciencia. ¡Os perdéis con tanta facilidad en los laberintos de vuestra dimensión! Vuestra mente busca siempre la comparación. La luz se compara con la oscuridad, la fuerza, con la debilidad. La polaridad de los opuestos marca siempre la identidad de vuestra experiencia. Yo no tengo opuesto. No podéis escuchar mi voz interior y después comparar. No podéis mirar mi mundo interno y buscar la comodidad de los opuestos. Tenéis que ampliar vuestra realidad. Tenéis que hacer retroceder vuestros límites. La dimensión de los opuestos no es más que una faceta de la realidad total. Los cinco sentidos físicos de la humanidad son, al mismo tiempo, su libertad de expresión y los muros de su prisión. Esto no tiene por qué ser así. La humanidad está capacitada para crear. La creación es una expresión del poder de la visualización. Dentro de esta estructura controlada y creativa, puede ser que abráis una puerta hacia los dominios de la Naturaleza y ahí nos encontraremos. Sólo tenéis que abrir la puerta. Yo estaré allí.

Pero, ¡ay!, abrir esta puerta es imposible, excepto para unos pocos. Ciertamente hay quienes han puesto el pie más allá de las fronteras conocidas, pero no los conocéis. Su sabiduría incluye al silencio. Sorben el néctar de reinos más sutiles y, sin embargo, lo sorben con tristeza. Tales seres desearían compartir el néctar de sus vidas, pero esto les ha sido negado durante mucho tiempo. Ahora esa época está

llegando a su fin. Una vez más, la humanidad se encuentra en el umbral del secreto de la Naturaleza. El umbral de vuestro propio Ser. Un secreto completamente abierto a todos los hombres, pero oculto tras los velos del amor, la sabiduría y la integridad.

Según relata, Michael permaneció después sentado durante un rato mirando el agua ondulante. Se había quedado sin palabras, no tenía nada que decir. Se quedó experimentando una sensación de asombro ante lo oculto, ante lo desconocido, ante la inmensidad de la vida que se arremolinaba y serpenteaba a su alrededor.

Los Seres del Elemento Tierra

La Tierra es un Elemento considerado pasivo y femenino. Se dice que contiene dos partes notables: la interior que es fija e inmutable y la superior que es menos densa, móvil y cambiante. Representa la vestimenta de la materia, es decir, nuestro cuerpo físico y se considera que tiene la facultad de poder recibir y anular las descargas de energías negativas. La Tierra tiene también la facultad de reciclar la vida

orgánica, recibiendo dese-
chos que transforma en
nuevas vidas como son las
plantas y los árboles. En
su interior se hallan los
secretos de la purificación
a través de la transformación y la transmutación
de la materia. Posee un
filtro que le permite retener toda impureza, en
cualquiera de sus mani-
festaciones, y con ella ge-
nerar pureza. Es la gran
encargada de conservar el
equilibrio de la vida hu-

mana. En la Tierra está el secreto de la vida y de la muerte. De
ella extrae el planeta la fuerza y la vitalidad y en ella es donde la
transformación del cuerpo tiene lugar: se pudre o simplemente

muere, pasando a formar
parte de la gran masa sólida.
La piedra, que es uno de los
aspectos de la Tierra, representa el símbolo de la unidad, la durabilidad y la fuerza estática. En el cuerpo
humano está representada
por las sales y los minerales
que conforman las partes

sólidas de nuestro organismo, el esqueleto, dándoles fuerza y
vitalidad.

En relación con
los espíritus de la Tierra
dice Leadbeater: "...*la*
etapa mineral es aquella
en que la vida está más
profundamente sumida en
la materia física... *hay*
seres que, en su evolución,
toman vehículos de mate-
ria etérea para morar en el
interior de la corteza te-
rrestre y en el seno de las
compactas rocas. Muchos
no aciertan a comprender
cómo es posible que haya
seres vivientes que moren
en el seno de las rocas o en
el interior de la corteza
terrestre. Sin embargo, los
seres dotados de vehículos
etéreos no tropiezan con la
más leve dificultad para
moverse, ver y oír en la masa

de la roca, porque la materia física sólida es su ambiente natural y su
peculiar habitación, la única a que están acostumbrados y en la que se
encuentran como en su propia casa. No es fácil formarse un concepto
exacto de estos seres que actúan en amorfos vehículos etéreos. Poco a
poco van evolucionando hasta llegar a una etapa en que si bien habitan

todavía en el seno de las rocas compactas, se acercan más a la superficie de la tierra, en vez de esconderse en lo más hondo de la corteza; y algunos entre ellos son capaces de mostrarse eventualmente al aire libre durante un corto tiempo.

A estos seres se les ha visto y más frecuentemente oído en las cavernas y en las minas. La literatura medieval les dio el nombre de gnomos. En condiciones ordinarias, no es visible a los ojos físicos la etérea materia de sus cuerpos, por lo que cuando se muestran visiblemente es porque o se han revestido de un velo de materia física, o quien los ve ha excitado su perceptibilidad sensorial hasta el punto de afectarle las ondas vibratorias de los éteres superiores y ver así lo que normalmente no percibe. No es rara ni difícil de lograr una temporal excitación de la facultad visual, que se necesita para percibir a estos espíritus de la naturaleza; y por otra parte, la materialización es cosa fácil para seres situados muy cerca de los límites de la visibilidad. Así es que se les podría ver con mayor frecuencia de la que se les ve, a no ser por su arraigada repugnancia a la vecindad de los hombres...

Tradicionalmente se considera que entre los seres incorpóreos que habitan la tierra se cuentan los gnomos, los duendes y los *trolls*. El siguiente es un mensaje enviado a Dorothy MacLean por el espíritu de una montaña situada cerca del lago Maree, en las tierras altas escocesas.

Nuestra consciencia se halla tan profundamente en la Tierra, tan acostumbrada a canalizarse a través de la roca, que estamos tan apartados de nuestros yoes superiores como lo estáis los humanos. Estamos profunda, firme y constantemente integrados en nuestro entorno, ligados a él y prestando atención a muy poco más. No nos molesta que trates de traducir esta conversación con tus palabras... ¿Qué es un transitorio ser humano en la eternidad? Nosotros somos los grandes sustentadores del mundo, el vigor de la propia tierra que continuamente traslada fuerzas hacia arriba y hacia abajo. Somos muchos y proseguimos eternamente. El hombre modifica y altera la Tierra pero a nosotros no nos puede alterar...

El espíritu de una montaña vecina, aparentemente menos hosco y más amigable, le dijo:

Nosotros somos más antiguos que el tiempo, cualquiera que sea el clima, esparcimos nuestras energías alrededor, desde la profundidad de la Tierra y desde los cielos. Con nuestra cima en la nie-

bla, nuestros brazos en el lago y los pies bien abajo, nuestro trabajo está más allá de la comprensión del hombre. Es demasiado atemporal para que su mente lo entienda. Pertenece al mundo de la creación sin principio ni fin. Y es un trabajo puramente benéfico a pesar de lo duros que podamos parecer. La suavidad es dureza desgastada. Nosotros permanecemos eternos, trabajando siempre para el Creador de todo.

En el otoño del año 1988 me fue concedido el privilegio de mantener una comunicación muy rudimentaria con el espíritu de un majestuoso volcán de más de cinco mil metros de altura.

La conversación —si es que puedo llamarla así— fue muy breve, el imponente ser respondió a mi saludo y me envió un mensaje de protección, algo que, ciertamente, en aquel momento necesitaba. Desde entonces he visitado esa montaña muchas veces y con cierta tristeza debo admitir que una comunicación de ese tipo no ha vuelto a repetirse. Mi saludo mental no recibe ahora respuesta, o mejor dicho, no soy yo capaz de percibirla. Pero nunca olvidaré la majestuosidad y la sensación de fuerza, de poder y de serena armonía que en aquellos breves momentos percibí con una claridad total e inequívoca.

Michael Roads relata lo que le dijo un elevado espíritu de la Tierra, en una caverna de Nueva Gales del Sur, en el sudeste australiano. Sus palabras no pueden ser más sabias ni más amorosas:

Bienvenido. No estás aquí por casualidad... Soy un foco de energía, un recipiente que se romperá a su debido tiempo y cuya energía entonces se sentirá. Noto tu asombro ante mis palabras. Has de comprender que estamos entrando en una época de cambio. *Cada uno de los de tu especie es también un recipiente de energía espiritual, pero desgraciadamente no conocéis la energía que contenéis. En realidad "sois" ese contenido. Nosotras, las energías de la Naturaleza que ahora nos estamos expresando, conocemos vuestro lugar en el gran proyecto de la Vida. Te das cuenta de que estás escuchando y hablando, no con la piedra que forma la base física de la Gruta, sino con la energía inteligente que reside en ella. Por otra parte, te das cuenta de que no soy física. Sólo el recipiente es físico, como pueden ver tus ojos sensibles. Lo mismo ocurre en vuestra especie. Vuestro cuerpo es sólo el recipiente físico del Espíritu. Estás redescubriendo tu latente capacidad para unirte con las energías de la tierra. El alcance de ese poder no tiene límite. Mira las profundidades de estas aguas y verás reflejado todo lo que hay a tu alrededor. Del mismo modo, cuando miras toda la vida que te rodea, no ves sino un reflejo del mundo real. La vida de la humanidad se desarrolla en este confuso y distorsionado reflejo. Sin embargo, cada uno de vosotros tiene la capacidad de percibir la vida como es y de ejercer sobre ella un amoroso dominio. Pero esto requiere una energía de la que la humanidad carece: la humildad. La humildad es la energía creativa del universo y tiene un puesto clave en el proyecto de la vida. Ese proyecto se desarrolla con la ayuda de la humanidad o sin ella, pero lo que podría ser satisfacción, se convierte en un dolor sin sentido. Amigo mío, igual que he relacionado mi energía con la tuya, lo hago con todos los que visitan este lugar. Cada uno se da cuenta según su propio grado de percepción. El amor que siento y comparto contigo, lo siento por todos los de tu especie. Estamos unidos en el Espíritu. Vete en paz.*

Los Seres del Elemento Fuego

Se dice que cuando los humanos consiguieron domar el fuego para mantenerse calientes y alejar a las bestias salvajes, iniciaron su viaje hacia la civilización. Considerado por los alquimistas como el principio de todos los movimientos de la Naturaleza, el Elemento Fuego ha sido tradicionalmente considerado activo y masculino. De los cuatro Elementos es el que más ligado está a todas la religiones. Desde el inicio de los tiempos fue el símbolo por el cual luchar y con el cual defenderse. Se luchaba por el alma del hombre que estaba representada por la llama del Fuego y se utilizó también para ver al

enemigo que se tenía que enfrentar, pues a través de la luz de las llamas se podía percibir. El Fuego es a la vez visible e invisible. En el nivel sensible podemos decir que es visible en las llamas e invisible en el calor que irradia.

Esotéricamente, el Fuego esta ligado a la "llama divina" o "principio divino", que se encuentra presente en el momento de la creación. Siempre se le ha considerado como el más enigmático y sorprendente de los cuatro Elementos, debido a que su energía es extremadamente poderosa. Muchos siguen utilizando en la actualidad el Fuego de las velas para comunicarse con los planos superiores y recibir sus instrucciones. El Fuego es, definitivamente, un puente que une lo material con lo espiritual.

Representa a los dos polos opuestos de una misma creación, la vida y la muerte, el origen y el fin de todas las cosas y es el Elemento que simboliza la transformación y la

regeneración. Su poder es benéfico, cuando se utiliza con amor y comprensión, o simplemente cuando se le deja actuar naturalmente. Mal utilizado o abusando de su facultad llega a ser destructor. Pero destruye, a través de la purificación de su calor, para luego, junto con los otros Elementos de la naturaleza, volver a recrear.

El Fuego es la esencia divina que cada uno llevamos dentro. Es la presencia de Dios, dentro de nosotros. Es el amor, las pasiones, la energía sexual, es la fuerza para realizar cosas positivas, y también, en el otro extremo, es la agresión y el odio.

Lo que sigue es una comunicación recibida por Dorothy MacLean procedente de un deva de un nivel elevado, referente a los espíritus del fuego:

Las Criaturas del Fuego son poderosas, principescas y misteriosas, no demasiado mezcladas con el hombre... ¿acaso Prometeo, por haber dado el fuego a los hombres, no fue proscrito a perpetuidad por los dioses? Y sin embargo, el fuego está aquí, en los volcanes, y está en ti. No juegues con el fuego; crece en estatura para ser uno con él, y entonces sus aspectos constructivos y destructivos serán uno contigo. Su gran poder volátil, su llama cósmica, encenderán poderosamente la conciencia. Ninguna otra cosa es tan efectiva. Inclínate profundamente ante los Señores del Fuego, purifícate y elévate con ellos a grandes alturas temerarias. Es el camino del filo de la navaja para cualquiera que se desvíe. La intensidad del poder es tremenda. Permanece siendo pequeña y serás tan grande como el Sol."

Las palabras de este majestuoso ser parecen evocar el despertar de la Kundalini o fuego sagrado. Energía poderosísima que, según la tradición yóguica, reside en la base de la columna vertebral en forma de una serpiente enroscada y que, al despertarse, asciende por la columna vivificando todos los centros y modificando para siempre a la persona a la vez que le concede una conciencia y unos poderes antes insospechados. Precisamente la búsqueda de dichos poderes ha hecho que muchos intenten despertar de esa energía antes de tiempo, exponiéndose por ello a grandes peligros y sufrimientos que, al decir de los entendidos, podrían incluso extenderse más allá de su presente encarnación. Parece que el Fuego Sagrado o Kundalini tiene una estrecha relación con la energía sexual o con un nivel más elevado de ésta. De cualquier forma, como bien dice el deva a Dorothy, caminar por estos senderos prematuramente es como hacerlo por el filo de una navaja y jamás debe hacerse por búsqueda de poder. Cosechar el fruto antes de su maduración tan sólo trae mal sabor y decepción. Cada cosa a su debido tiempo. Las palabras del deva son sabias: "permanece siendo pequeño y serás tan grande como el sol".

Tal vez el maestro Djwal Khul se refiriese a esto cuando, en un texto por lo demás bastante oscuro, advierte acerca de los peligros inherentes a establecer un contacto indiscriminado e imprudente con ciertos espíritus de la Naturaleza: En la obra *Tratado sobre el Fuego Cósmico*, dictada a Alice A. Bailey, dice el Maestro Djwal Khul (también conocido como "el Tibetano"):

Muy poco puede agregarse a estas alturas, acerca de la evolución dévica. Mucho que podría decirse se mantiene forzosamente reservado, debido al peligro que ofrece el conocimiento superficial cuando no va acompañado por la sabiduría y la visión interna. Otros tres puntos podrían agregarse a los cuatro ya dados, los cuales conciernen, en primer lugar, a la futura relación de los devas con el hombre y a su aproximación a éste, gracias al nuevo tipo de fuerza que está entrando. Esta aproximación, aunque inevitable, no tendrá resultados totalmente benéficos para la

Jerarquía humana, y hasta que no se comprenda el verdadero método de establecer contacto y se emplee inteligentemente la asociación consiguiente, mucho sufrimiento sobrevendrá y se pasarán amargas experiencias... Se ha de reflexionar sobre esto, porque en días venideros cuando los entes se pongan en contacto con los devas e inevitablemente paguen la penalidad, será útil que el hombre comprenda la razón y se dé cuenta de que es necesario separarse de estas Esencias de los tres mundos. El acercamiento entre estas dos líneas de evolución puede ser efectuado en el plano búdico, pero únicamente constituirá el acercamiento entre dos esencias y no entre lo concreto y la esencia. Mientras el hombre funciona mediante formas sustanciales y materiales en los tres mundos, no puede trasponer la línea divisoria entre las dos evoluciones. Únicamente, en los planos del fuego solar o en los niveles etérico cósmicos, se puede establecer contacto; pero en los planos

del nivel denso físico cósmico (nuestros planos mental, astral y físico) dicho contacto ocasionaría un desastre. Me he ocupado de esto porque el peligro es muy real y está muy cercano."

Dorothy MacLean, por su parte, manifiesta que después de la conversación mantenida acerca de los Espíritus del Fuego, entró en contacto con algunos Señores de las Llamas del Sol, que nos saludaron a nosotros. Se denominaron a sí mismos como Amantes del Sol, y hablaron de él como el centro espiritual de este sistema planetario. Asimismo hablaron de su propia función como controladores de las violentas fuerzas que forman la cadena de la vida. A las preguntas de Dorothy, respondieron que el hombre también habría de aprender sus secretos a su debido tiempo.

Resumiendo, podemos decir que el elemento Fuego, y los seres que le dan vida despiertan en el ser humano sentimientos y conciencia, tanto de su poder, como del peligro que entrañan, en especial cuando no se les trata debidamente. Para el alquimista Abate de Villars, "Es preciso purificar y exaltar el elemento Fuego que está en nosotros, y elevar el tono de esta cuerda que está aflojada. Este es un secreto que los antiguos ocultaron religiosamente y que nos puede convertir en seres, por así decirlo, de naturaleza ígnea". Este parece ser el mensaje: Algo muy importante está oculto en el fuego, algo que nos puede elevar, pero también nos puede destruir.

Los Seres del Elemento Aire

El Aire es un Elemento considerado activo y masculino. Su expresión palpable y externa es el aire que respiramos pero su naturaleza intrínseca y real es intangible y podríamos llamarlo "Aire Espiritual", y éste es el que verdaderamente da la vida. El Elemento Aire es el medio en el que se manifiestan muchas entidades incorpóreas, especialmente las de Luz y también el canal a través del cual nos comunicamos con ellas. En cierta medida se podría asimilar el aspecto sutil del elemento Aire con lo que en las tradiciones orientales se conoce como Prana, Chi o Ki.

Para C.W. Leadbeater, los espíritus de la Naturaleza que habitan en el elemento Aire son de un orden y un nivel de evolución superior a los demás, pues ya se han desprendido de toda traza de materia física. Son los llamados silfos o sílfides. Por estar tan evolucionados, pueden comprender acerca de la vida mucho más que los restantes seres. Su evolución ascendente tiene lugar mediante el trabajo en colaboración y bajo las órdenes de un ángel o un deva de un nivel muy elevado. Se dice que hay muchas variedades de sílfides que difieren en

poder, inteligencia, aspecto y costumbres. En cuanto a su ubicación en un determinado lugar, no están tan limitados como los otros tipos ya descritos, aunque también parecen reconocer los límites de diversas zonas de altitud, pues —siempre según Leadbeater- unas variedades flotan cerca de la superficie terrestre, mientras que otras, pocas veces se acercan a ella. Las comunicaciones de los espíritus del aire con los seres humanos no son muy frecuentes. Lo que sigue es parte de uno de los mensajes recibidos por Ken Carey:

Somos las tribus aladas que volamos sobre las copas vivas de los árboles donde soplan, libres e indómitos, los vientos del espíritu.
Somos los espíritus alados y amamos las fluidas y mansas nubes de nuestra Madre, así como amamos las estrellas que nutren y sostienen las formas biológicas de danzante luz. Somos del aire, pero siempre estaremos próximos al agua y a la tierra, a la luz y al sonido, al fuego del Padre y a la eterna sabiduría de la Madre. Hemos venido a la tierra a volar por el espacio con las alas del Amor que nos creó y nos recrea en cada momento. Porque amamos estos cielos y estas tierras. Amamos este planeta con un eterno

fuego que necesita todas las miríadas de estrellas para revelarse...
Despierta, humanidad. Los maestros del amor giran en torno a
la estrella matutina, descienden en espiral, se detienen y desem-
barcan en la costa de tu historia y batiendo las alas, penetran en
tu conciencia...

¿Les abriremos los seres humanos las puertas de nuestra
conciencia, de nuestra percepción?

Los Universos
PARALELOS

Teniendo en cuenta las diferentes explicaciones que se han dado sobre la realidad de las hadas, los elfos y otros seres incorpóreos relacionados con el mundo natural, todo parece indicar que nos hallamos ante una evidencia más de que no estamos solos en el universo ni, por supuesto, somos el único tipo de seres inteligentes, sin tener por ello que desplazarnos a lejanos planetas, sistemas o galaxias.

Según las doctrinas esotéricas tradicionales, el hombre se mueve, vive y tiene su ser en un universo del cual apenas es consciente. Las vibraciones captadas por nuestros cinco sentidos y que nuestro cerebro convierte en sensaciones acústicas, visuales, táctiles, olfativas y gustativas, representan una parte infinitesimal del espectro vibratorio en el que estamos inmersos las veinticuatro horas, todos los días de nuestra vida. Nuestros cinco sentidos son ventanas bien estrechas, que sólo nos dejan percibir una minúscula parte del mundo que nos rodea, la cual además, nos llega tamizada y distorsionada.

El filósofo griego Platón plasmó magistralmente esta situación en el famoso mito de la Caverna, incluido en su obra *La República*. En dicho relato, describe Platón a una serie de personas que están encadenadas en la parte más profunda de una cueva. Atados de cara a la pared, su visión es muy limitada y por lo tanto no pueden distinguir a nadie. Lo único que ven es la pared de la cueva que tienen frente a ellos y sobre la que, de vez en cuando, se reflejan las distorsionadas figuras de los objetos y animales que, a veces, pasan delante de una gran hoguera que los prisioneros tienen a sus espaldas. Pero uno de los individuos puede escapar y sale a la luz del día, entonces ve por primera vez el mundo real y vuelve a la cueva para decir a sus compañeros que

lo único que han visto hasta ese momento son sombras y apariencias y que un luminoso mundo real les espera en el exterior, en cuanto consigan liberarse de sus ataduras. El mundo de sombras de la caverna simboliza al mundo físico de las apariencias. Así de limitada y distorsionada sería la percepción que los hombres promedio tenemos del mundo en el que vivimos.

Cuando uno es consciente de la gran limitación de nuestras percepciones sensoriales, la posible existencia de otros mundos paralelos al nuestro deja de parecer tan fantástica. Ya en el siglo V antes de Cristo, el también filósofo griego Anaxágoras expresaba la creencia de que "otros hombres y otras especies vivientes" moraban en una especie de tierra que, ocupando el mismo espacio que la nuestra, como interpenetrándose con ella, recibía la luz de sus propios astros, y cuyos habitantes "al igual que nosotros mismos, poseen ciudades y fabrican objetos ingeniosos". Por los fragmentos de su obra que han llegado hasta nosotros, no sabemos si Anaxágoras pensaba que podía tener lugar un contacto entre los seres inteligentes de ambos mundos.

En los Puranas, resumen de la mitología, la filosofía y los

ritos del hinduismo, se habla de los *dwipas* o siete niveles distintos de existencia, los cuales poseen sus respectivos mares, montañas y habitantes inteligentes. En la década de los 60, el escritor y científico francés Jacques Bergier se interesó por los mundos metafísicos del hinduismo, creyendo que podía haber algo de cierto en ellos según los principios de la matemática moderna. Bergier apuntó que las "superficies de Riemman" están compuestas por cierto número de capas que no están una encima de la otra y ni siquiera lado a lado de las otras: las capas sencillamente coexisten. Es casi seguro que Bergier simplificaba el asunto para los lectores inexpertos, pero la conclusión matemática era que el espacio es mucho más complejo de lo que aparenta y de lo que pensamos la mayoría. "Si la tierra es una de estas superficies", escribe Bergier, "por fantástico que pueda parecer, resulta posible que existan regiones desconocidas que son por lo general inaccesibles y que, por supuesto, no aparecen en ningún mapamundi ni globo terráqueo. No sospechamos de su existencia, al igual que no sospechábamos de la existencia de los microbios, o de la radiación invisible del espectro, antes de haberlas descubierto". ¿Encontró Bergier la prueba de lo expuesto tanto por Anaxágoras como los

escribas hindúes que redacta-
ron los Puranas? ¿Existen, de
veras, otros espacios que coexisten con nuestro espacio?
A propósito de civilizaciones
que conviven en diferentes
conceptos espaciales, el ya
mencionado maestro Djwal
Khul, en el libro *Tratado sobre el
Fuego Cósmico*, dictado a Alice
A. Bailey dice: "En las profundidades de la tierra se encuentra una evolución de naturaleza
peculiar, bastante parecida a la
humana. Presentan cuerpos de
un tipo particularmente denso, que podrían considerarse
definidamente físicos, en la
acepción en que entendemos
ese término. Viven en colo-
nias, bajo una forma de gobierno adecuada a sus necesidades, en
las cavernas centrales, ubicadas debajo de la corteza de la tierra.
Su trabajo está íntimamente ligado al reino mineral, y tienen
bajo su control a los *agnichaitans* de los fuegos centrales. Sus
cuerpos están constituidos de modo que puedan soportar gran
presión, y no dependen de la libre circulación del aire, como el
hombre, ni se ven afectados por el intenso calor existente en el
interior de la tierra. Poco puede comunicarse aquí respecto a
esas existencias… además, poco ganamos extendiéndonos respecto a esas vidas y a su trabajo, pues no le es posible al hombre
comprobarlas ni ello sería deseable…"

Sin embargo, hay quien cree que, en determinadas condiciones, es posible que los habitantes de este mundo penetremos en alguno de esos otros mundos paralelos. Ese paso de un mundo a otro tendría lugar a través de lo que se conoce como puertas dimensionales o pliegues espacio-temporales. Por inverosímil que pueda parecer esta posibilidad, ello explicaría las creencias ampliamente difundidas en el folclore de todos los países del mundo —recordemos los niños raptados por las hadas— sobre lugares en que se puede entrar pero no salir, o que pueden visitarse en determinadas épocas del año o cada cierta cantidad de años. Las fantasmales ciudades visibles desde el glaciar de Muir en Alaska, explicadas hasta ahora como efectos ópticos, ¿serán espejismos, no de ciudades de nuestro mundo, sino de urbes cuyos habitantes "fabrican cosas ingeniosas", como dijo Anaxágoras hace veinticinco siglos? Hará unos treinta años, tuve que realizar con frecuencia y, casi siempre de noche, el trayecto entre dos ciudades distantes unos doscientos kilómetros una de otra. Fue entonces cuando por primera vez tuve noticias de una

ciudad esplendorosa, con abundantes cúpulas y minaretes, visible sólo en algunas ocasiones desde muy cerca de la carretera. Asombrado descubrí que bastantes conductores sabían de su existencia y que, para las gentes del lugar, su visión, aunque

siempre inesperada, era apenas un poco más extraña que la luminosa estela de un meteorito en una cálida noche de verano. Muchos años después, en México, comprobé cómo personas de gran seriedad y notables conocimientos, pensaban que en la laderas de uno de los montes que rodean al pueblo de Tepotztlan, existe una de esas puertas dimensionales, a través de la cual se podría penetrar en otros mundos o en otros niveles de la existencia.

El investigador de temas paranormales Brad Steiger mantuvo un intercambio epistolar con un individuo supuestamente capaz de internarse a voluntad en estos otros niveles de existencia.

Al Kiessig, natural de Missouri, escribió detalladamente sobre sus experiencias con los portales dimensionales o puntos de acceso a otras realidades. Informó a Steiger que uno de esos "universos vecinos" es un entorno insonoro que carece de viento o de sol, aunque su cielo dispone de suficiente luz como para sugerir la existencia de semejante astro, y que él mismo pudo internarse en dicho mundo mientras paseaba a su perro en Arkansas en diciembre de 1965. Este mundo silencioso parecía imitar al nuestro, copiando hasta los detalles de las casas de madera pero el silencio, la ausencia de vida animal y de seres humanos infundían pavor. También mencionó lo que parece ser una constante cuando se pasa de un mundo a otro: la considerable diferencia del transcurrir del tiempo entre ambas dimensiones.

Kiessig incluso le mencionó que en las montañas de Ozark había un lugar desde el cual podía ver otra dimensión con claridad, e incluso contemplar cómo sus habitantes entraban a la nuestra. Otros lugares acerca de los que he oído comentarios parecidos son Sedona, en Arizona y el Monte Shasta, en California.

Pero no es necesario ir tan lejos para acceder a alguna de esas "puertas" donde, una vez traspasadas, el tiempo transcurre a un ritmo distinto al de los humanos y que podrían muy bien tratarse de entradas al mundo de las hadas. Personas que han estudiado el tema piensan que, tanto en el monasterio navarro de Leyre como en el pontevedrés de Armenteira, pueden existir ese tipo de misteriosas puertas. Y hay más. En el año 1912, durante unos trabajos para una canalización de aguas en La Orotava (Tenerife), se derrumbó una de las paredes y los operarios pudieron ver una extraña galería, que hasta ese momento había permanecido oculta. Vieron también a tres extraños "hombres" blancos que hicieron ademán de acercárseles, pero los trabajadores, asustados, corrieron hasta el cuartel de la Guardia Civil de Guimar para dar cuenta del suceso. Cuando más tarde volvieron al lugar no encontraron ya rastro de dichos túneles, como suele ocurrir en este tipo de sucesos.

Seres Inteligentes en
el interior de la TIERRA

La creencia en civilizaciones espiritualmente evolucionadas que viven en el interior de la Tierra ha formado parte de muy diversas tradiciones a lo largo de la historia. El héroe babilónico Gilgamesh, protagonista de la obra literaria más antigua que haya llegado a nuestros días y muy anterior al Génesis, visitó a su antepasado Utnapishtim en las entrañas de la Tierra. En la mitología griega, Orfeo trata de rescatar a Eurídice del infierno subterráneo. En el antiguo Egipto se creía que los faraones se comunicaban con el mundo inferior, al cual accedían a través de túneles secretos ocultos en las pirámides. Y todavía hoy muchos están convencidos de que millones de personas viven en Agharta, un país paradisíaco y subterráneo, gobernado por el rey del mundo.

Ni siquiera la comunidad científica ha sido inmune a esta idea: Leonard Euler, genio matemático del siglo XVIII, dedujo que la Tierra estaba hueca y que estaba habitada y el doctor

Edmund Halley, descubridor del cometa Halley y astrónomo real de Inglaterra en el siglo XVIII, también creía que la Tierra estaba hueca y que albergaba seres en su interior. Estas teorías, nacidas de científicos reconocidos, se alternaron con varias obras de ficción sobre el mismo tema, entre las que podemos citar las *Aventuras de Arthur Gordon Pym*, de Edgar Allan Poe, en la cual el héroe y

su compañero tienen un encuentro con seres del interior de la Tierra; y por supuesto, el *Viaje al centro de la Tierra* de Julio Verne, en la que un profesor aventurero, su sobrino y un guía penetran en el interior de la Tierra a través de un volcán extinguido en Islandia, y encuentran nuevos cielos, mares y animales. La creencia en una Tierra hueca llegó a estar tan extendida que incluso Edgar Rice Burroughs, el célebre autor de Tarzán, se sintió en 1929 obligado a escribir *Tarzán en las entrañas de la Tierra*, donde el famoso hijo de la selva llega a un mundo que se encuentra en el interior de la

Tierra y que está alumbrado por un sol central. Por supuesto, el género de ciencia ficción ha abundado mucho en este tema. En 1936 H. P. Lovecraft escribió *La sombra más allá del tiempo*, que

describe una raza antigua y subterránea que dominó la Tierra hace 150 millones de años y que, desde entonces, vive refugiada en el interior del planeta.

Concretamente, los testimonios sobre la ciudad interior de Agartha (o Shambala) abundan, y muchos de ellos proceden de personajes relevantes. El marqués Alejandro Saint-Yves d´Alvydre manifestó que en 1885 fue visitado por dos misteriosos personajes, enviados por el gobierno universal oculto, los cuales le revelaron la existencia de Agharta y su organización espiritual y política. Ya en pleno siglo XX, viajeros occidentales como el científico polaco Ossendowski y el pintor ruso Roerich, oyeron contar a los lamas y a los nativos tibetanos relatos sobre túneles que convergían a un fabuloso país subterráneo donde habitaba una poderosa raza de seres que se daría a conocer cuando la humanidad hubiera llegado a unas condiciones en

que pudiera recibir los conocimientos necesarios. Entonces saldrían a la superficie para crear una nueva civilización de paz. Ferdinand Ossendowski, durante su huida por Siberia y Mongolia, perseguido por el ejército rojo, alcanzó tierras casi desconocidas en torno al desierto de Gobi, Manchuria y las inmediaciones del Tíbet. En sus investigaciones contó con privilegiadas fuentes de información: aristócratas y lamas mongoles y dejó memoria de todo ello en el último capítulo del libro *Bestias, Hombres y Dioses*. Por su parte, el pintor Nicholas Roerich también sintió la llamada del Himalaya y abandonó la fama en 1917 para dedicarse a luchar en pro de la paz, desde su refugio en el valle de Kulu, en las montañas de Cachemira. Recién muerto Lenin, Roerich llegaría a Rusia como portador de un mensaje que le había sido transmitido por los grandes seres que habitaban en algún lugar ignorado dentro de la tierra.

Por descabellada que a muchos les pueda parecer la idea de que la Tierra pueda albergar en su interior una civilización mucho más avanzada que la nuestra, el asunto es que mentes muy claras no la desecharon, como es el caso del investigador Andrew Thomas o del filósofo René Guénon, quien trata de este asunto en su libro *El Rey del Mundo*. Como se sabe, el régimen nazi se ocupó muy seriamente de todo lo relativo a la supuesta civilización secreta de Agartha. Hitler y su círculo íntimo llegaron a estar persuadidos de la realidad de este mundo oculto (se cree que basándose en la obra *La Raza Futura* de Bulwer Lytton) e incluso mandaron expediciones al Asia central con la intención de entrar en contacto con la jerarquía de dicha civilización intraterrestre.

Una puerta
en los POLOS

Entre los años 1926 y 1947 el vicealmirante Richard Byrd, de la Marina de Estados Unidos, realizó numerosas expediciones a ambos Polos, el Ártico y el Antártico. Existe la creencia de que, al menos en uno de esos viajes, Byrd penetró por una supuesta abertura existente en el Polo Norte encontrando en su interior un paisaje frondoso, con temperatura suave, ríos y lagos e incluso pudo divisar en la lejanía un animal, aparentemente un mamut. Supuestamente sus superiores le prohibieron hablar de este hallazgo e incluso se difundió el rumor de que sufría una especie de locura. Docenas de libros y miles de artículos se han escrito desde entonces, unos defendiendo la existencia de dicha abertura polar —aunque no siempre sea visible— y otros, naturalmente, en contra. Luego, a principios de 1970, la Administración del Servicio de Ciencia del Medio Ambiente, perteneciente al Departamento de Comercio de los Estados Unidos, proporcionó a la prensa unas fotografías del Polo Norte tomadas por el satélite ESSA-7 el 23 de noviembre de 1968. Una de las fotografías presentaba el Polo Norte cubierto por la acostumbrada capa de nubes; la otra, que mostraba la misma zona sin nubes, revelaba un inmenso agujero donde hubiera debido estar el Polo. El ESSA estaba lejos de sospechar que sus rutinarias fotos de reconocimiento atmosférico iban a contribuir a despertar una de las controversias más sensacionalistas del siglo. De nuevo corrieron ríos de tinta a favor y en contra de la supuesta abertura existente en los Polos. Pero el asunto no era nuevo. Cuatrocientos años antes, un eminente matemático y consejero real manifestaba a la reina Isabel la conveniencia de que Inglaterra tomara posesión de Groenlandia, a fin de tener en sus manos la puerta a otros mundos.

El misterio del
Dr. JOHN DEE

John Dee nació en Londres el 13 de julio de 1527, hijo de
un noble galés que estaba al servicio del rey Enrique VIII. Fue un
notable científico así como un gran estudioso de la magia y la
alquimia. A lo largo de su vida realizó multitud de viajes, contri-
buyendo con su aportación al desarrollo de las ciencias navales e
impulsando en gran medida la expansión marítima de Inglaterra.
Su fama fue enorme. Matemáticos, cartógrafos y marinos iban a
consultarle y a estudiar con él; muchos nobles le pidieron que se
encargara de la educación de sus hijos, siendo en numerosas
ocasiones invitado a dar conferencias sobre matemáticas en diferentes facultades de Oxford. Dee llegó a reunir una biblioteca de
más de 4.000 títulos, más amplia que cualquiera de las que
existían en Inglaterra en aquella época, incluidas las de las uni-
versidades. En ella no faltaban, por supuesto, las obras de alquimia, que Dee estudió tanto en teoría como en la práctica.

El 25 de mayo de 1581 se le apareció un ser sobrehumano, o al menos no humano, rodeado de luz. John Dee lo llamó ángel, para simplificar. Este ángel le entregó un espejo negro al que Dee llamó *La Piedra de la Visión*, y que se conserva todavía en el

Museo Británico. Es un pedazo de antracita convexo extraordinariamente pulimentado. El ángel le dijo que mirando este cristal, vería otros mundos y podría establecer contacto con inteligencias distintas a la del hombre. Sus experimentos obtuvieron resultados insólitos, según refleja en su diario.

Con objeto de entablar contacto con los ángeles, Dee se valió de diferentes mediums a los que inducía a mirar en la Piedra de la Visión. Éstos indicaban lo que veían y el doctor apuntaba todo meticulosamente en su diario, así como las instrucciones recibidas de las distintas entidades. Entre los mediums se hallaba su propio hijo, Arthur, pero el más habitual era un individuo llamado Kelley. El resultado fue la puesta a punto de un método sistemático para trabajar con fuerzas y poderes fabulosos procedentes de otras dimensiones y una llave para lograr la entrada en ellas, en mundos de extraños paisajes y habitantes en cuyas manos estaba la clave de otras realidades, incluida la nuestra.

Dee recibió de los ángeles claves, sellos y toda suerte de instrucciones para adentrarse en universos paralelos al nuestro. El núcleo del sistema mágico de Dee era un extraño lenguaje, recibido a través de la Piedra de la Visión al que él denominó "lenguaje enoquiano" o claves de Enoch, por alusión al profeta que fue trasladado a los cielos sin experimen-

tar la muerte. Las distintas entidades que se comunicaban con él podían ser traídas a nuestro nivel espacio-temporal y a menudo salían del cristal para conversar con el doctor y su médium. En una ocasión, una entidad se paseó por la habitación conversando con ellos en inglés, aunque con un extraño acento.

Dee afirmaba que la tierra no es exactamente redonda, o al menos, que está compuesta de esferas superpuestas, alineadas a lo largo de otra dimensión. Entre estas esferas, habría puntos, o más bien zonas de comunicación, y, de este modo, el norte de Groenlandia se extendería en el infinito sobre otras tierras diferentes a la nuestra. Por ello insistió en varias misivas dirigidas a la reina Isabel, que convenía que Inglaterra se apoderara de Groenlandia, para tener en sus manos la puerta a otros mundos.

Cuando John Dee empezó a anunciar que publicaría sus conversaciones con los ángeles fue acusado de magia negra y se desató contra él una implacable persecución. En 1597, aprovechando su ausencia, unos desconocidos excitaron a la chusma, que asaltó su casa. Cuatro mil obras raras y miles de manuscritos desaparecieron definitivamente, y numerosas notas fueron quemadas.

Después, a pesar de la protección de la reina de Inglaterra, la persecución contra él nunca cesó. Finalmente John Dee murió destrozado y desacreditado a los 81 años de edad. El anticuario Robert Cotton, que había comprado un terreno cerca de la casa de Dee, comenzó a realizar incursiones en ella en busca de papeles y artefactos, descubriendo algunos manuscritos, principalmente registros de comunicaciones con seres de otra dimensión. El hijo de Cotton entregó estos documentos al estudioso Méric Casaubon, quien los publicó con una amplia introducción y bajo el título de *A True & Faithful Relation of What passed for Many Years between Dr. John and Some Spirits*. (Verdadero y fiel relato de lo que sucedió durante varios años entre el Dr. Dee y unos espíritus). El libro fue muy popular y se vendió rápidamente. Por desgracia, esta obra fue en gran parte la responsable de la pobre imagen de Dee que prevaleció durante los siguientes dos siglos y medio, propiciada principalmente por los comentarios que Casaubon vertía en la introducción, basados en su propia opinión, distorsionada por las más rígidas creencias religiosas de la época.

Volviendo a las ℋADAS

Aparentemente en esta incursión por los universos paralelos nos hemos alejado un poco de las hadas, duendes, gnomos y otros seres de este tipo, pero el hecho es que siguen estando ahí, aunque no podamos verlos. Como bien decía Bergier, un aspecto notable de nuestra civilización —tal vez de toda civilización— es una especie de complot. Un complot para que no veamos lo que no debemos ver. Para que no lleguemos siquiera a sospechar que en este mundo en que vivimos hay también otros mundos. ¿Cómo se hace para romper ese pacto no expresado? Tal vez haciéndose uno bárbaro, pero ante todo, siendo realista. Es decir, partiendo del principio de que la realidad es desconocida. Abriéndonos a experimentar en campos en los que nunca antes nos hemos aventurado y acogiendo los hechos que surjan sin prejuicios. Lo único que se necesita es una mentalidad abierta y ganas de saber. Con esas dos premisas, pronto aparecerá ante nosotros lo fantástico. En el fondo, esta es la actitud de la verdadera Ciencia, aunque nos hayan acostumbrado a considerar como ciencia sólo lo que el racionalismo del siglo XIX acabó por imponer. Ciencia es el conocimiento de todo lo que la inteligencia pueda escudriñar, tanto fuera como dentro de nosotros, sin desdeñar lo poco usual y sin excluir cobardemente lo que parezca escapar a las normas. Se dice que la mente es como un paracaídas, cuanto más abierta, más útil resulta. Pensamos que una mente cerrada ante lo nuevo es como una protección, cuando simplemente nos aísla de la realidad.  Lo que sigue son dos fragmentos de mensajes recibidos por Dorothy MacLean, procedentes de sendos seres incorpóreos:

> *¿Qué es la realidad? ¿No es esta comunicación más real, más vívida, más semejante a Dios que tu consciencia cotidiana? Debes vivir en tu consciencia cotidiana, pero ésta no tiene por qué ser tan limitada. Vosotros los humanos os aferráis siempre a lo conocido.*

Incluso esperáis que los demás sean siempre igual, siempre los mismos, en lugar de comprender que sois criaturas diferentes de lo que erais hace un instante y que poseéis infinitas posibilidades de ser aún más diferentes.

* * *

Vosotros los humanos generalmente no estáis abiertos. Poseéis vuestros propios pensamientos separatistas, vuestros propios mundos que lleváis con vosotros, vuestras propias opiniones que excluyen a las de los demás. Os aisláis de la verdad por tener fines interesados e intereses personales. Nuestros intereses son universales, nosotros estamos abiertos a todo, y así, recibimos sin impedimento muchos tipos de comunicación. ¡Qué difícil es esto para vosotros! Cada uno de vosotros está condicionado por su pasado y encerrado en sus recuerdos, mientras que nosotros somos libres para recibir las contribuciones ajenas. Vosotros resaltáis vuestras diferencias y dejáis que ellas os guíen. Nosotros agradecemos a Dios el hecho de ser individualmente distintos y el que, juntos, hagamos el Uno. Tratad de escuchar y de captar la vida sin prejuicios. Sois mucho más que ese patrón de comportamiento creado por vuestro pasado. Todos sois hijos de Dios. Libres, claros y expresivos. Por favor, desprendeos de las limitaciones de los prejuicios y estad alerta para la vida.

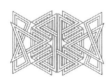

Conocimiento
y COMPRENSIÓN

La lente por la que miramos los seres humanos ha estado tanto tiempo enfocada de forma miope que ya se ha oxidado. Tendemos a considerar únicamente lo físico, olvidando que el mundo es infinitamente más amplio y profundo de lo que perciben nuestros limitados sentidos exteriores. Nuestros ojos, cubiertos por una red de veneradas telarañas, apenas pueden ver ya un único árbol y menos aún el bosque, que en este caso ha quedado reducido al folclore, al mito y a la leyenda. Ha llegado el momento de quitarnos esas telarañas de los ojos y retroceder unos pasos para ampliar nuestra perspectiva. Los espíritus de la Naturaleza, los devas y las hadas están ahí, aunque nuestros sentidos nos impidan captarlos. Permanecer abiertos a la ayuda que podamos recibir de ellos puede ser vital. Es posible que nuestro futuro, el futuro de nuestros hijos e incluso la propia continuidad de la vida en la tierra, dependan de que logremos una mayor

comprensión y un mayor conocimiento del mundo que nos rodea y también, y sobre todo, de los mundos todavía inexplorados que albergamos en nuestro interior.

EPÍLOGO

Ocultas en las sutiles brisas que surcan en las copas de los árboles, puras y delicadas energías invisibles para los sentidos humanos se acercan vibrando a la tierra, procedentes del mundo espiritual. Traídas por el aire matutino, flotan, palpitantes, sobre los árboles, los dejan atrás deslizándose velozmente y erizando diminutos vellos en la superficie de vuestra piel. Vuelan hacia el prado y lo sobrepasan. No podéis verlas, pero las sentís, las saboreáis, advertís su presencia. Al observar esos sutiles susurros que esconde el viento, notáis que los pájaros los contemplan también, escuchan sus enseñanzas, juegan con ellos, aprenden de ellos lo que les depara el nuevo día. Percibís entonces los pequeños mensajes que van y vienen por el bosque. Los árboles, los helechos y las piedras cubiertas de musgo los escuchan, conscientes, sensibles y expectantes. En la naturaleza se produce una comunicación multidimensional que fluye en constante movimiento.

Cuando le prestáis atención, el viento os habla. Permitid que sus corrientes muevan vuestros pensamientos con suavidad, igual que el águila deja que mueva sus alas cuando vuela bajo, cerca de las copas de los árboles. Si escucháis y observáis en armonía con lo que os sale al encuentro, descubriréis su significado oculto.

Notaréis que el viento gira a causa de unas energías más sutiles que la brisa. Comenzaréis a ver el bosque con ojos nuevos: como un sistema de información viva que se extiende a través de una red de energía que, aunque invisible, percibís cada

vez mejor. La sentís, la imagináis, no con la vista física, sino de modo más profundo y clarividente: tal vez percibáis pequeñas mallas de vibrantes corrientes que se cruzan entre los árboles entretejiéndose, uniéndose, girando lentamente en la arremolinada presencia de un ser inmenso y eterno. La información que vuela a través de esas mallas se transmite de un mundo a otro.

Con la relajación, os mezcláis en esa red palpitante. Ya no os sentís separados de su infatigable energía creativa; la sentís dentro de vosotros y a vuestro alrededor. Las vocecillas ocultas en el viento os llevan al conocimiento de la intención que crea la vida terrena. Relajáis la tensión que retenía y limitaba ese gran amor. Abandonáis las imágenes que tenéis de vosotros mismos, vuestras ideas, vuestras creencias. Olvidáis vuestros conceptos sobre la existencia como hombres. Y, al desaparecer las definiciones culturales, experimentáis, tanto en lo físico como en lo espiritual, una expansión natural de la conciencia, y os reconocéis como una parte del mundo circundante. Ya no aplicáis de modo forzoso interpretaciones arbitrarias a la energía creativa de la vida. La dejáis fluir en libertad y percibís mejor la presencia viva de Dios.

Las sutiles energías que lleva consigo cada soplo de viento os hacen comprender que la influencia del sol contiene información, además de luz y calor. El calor es información de la vida. La luz es inteligencia.

Al penetrar en el campo del ser fundiéndoos con él, adquirís una experiencia más amplia de quiénes sois; descubrís la inteligencia solar tras las sutiles brisas. Oís una voz desconocida, similar a la que a veces os susurra en vuestros sueños. Se os comunican enseñanzas que, al principio, os llegan como observaciones cotidianas, como algo sabido desde siempre. Sin embargo, en ese estado de profunda relajación, permitís que los vientos solares soplen a través de las palabras almacenadas en vuestra mente. El mundo en que vivís no reconoce estas ideas, aunque las intuyan los niños y los poetas.

Escucháis atentos para captar las palabras que os ayudarán a traducir vuestra percepción.

Procedente del mundo espiritual, la información se filtra hasta vosotros. La captáis con el cuerpo, con los sentidos. Penetra hasta ese lugar del corazón que decide cómo emplear el tiempo del modo más creativo.

Cada amanecer trae indicaciones de las actividades adecuadas para el día que comienza. El vuelo del águila, que atraviesa la faz del sol naciente emitiendo su llamada, no es accidental; está lleno de significados. Es una clave, un mensaje para las otras aves y los animales que lo observan y les permite acumular impresiones del nuevo día. La hora que elige para volar, la dirección de su vuelo y el lugar donde se aparece a las aves y los animales que le esperan son parte de su mensaje, son frases de los párrafos de su expresión. Sin embargo, hay otras noticias, más o menos importantes, de igual validez para muchas criaturas: la reacción de los cuervos, el tiempo que espera la lechuza para reanudar el canto después del grito del águila... Los pájaros y los animales prestan atención. ¿Qué clase de día será hoy? ¿Habrá que buscar el alimento en la ladera de la montaña? ¿Será mejor dirigirse al llano? ¿Es una mañana adecuada para volar a las copas de los árboles y seguir cantando? O, ¿valdrá la pena empezar a trabajar, porque puede llover antes de que acabe el día?

En todo momento, el Gran Espíritu comunica a sus criaturas todo lo que necesitan saber. Revela la verdad continuamente a este mundo por medio de sus diez mil billones de representantes —angélicos, animales, vegetales y minerales—, a través de una inmensa y delicada red de diseño vivo que va más allá de la atmósfera.

De cada uno depende percibir el modo en que se traduce esa verdad y se relaciona con él en cada momento del día. Esto es tan cierto para los humanos como para cualquier otra criatura. El procedimiento es sencillo, pues esa percepción y su traducción no se llevan a cabo con la mente. Es un proceso autónomo que tiene lugar de modo espontáneo e inconsciente cuando el juicio se adormece y permite a la percepción directa cumplir su cometido. Es tan natural que se produce sin esfuerzo, cuando la mente abandona sus interpretaciones culturales y confía en que vais a experimentar la luz que emana de la naturaleza, y que siempre está presente cuando vosotros estáis presentes.

El intelecto es positivo; la razón, un instrumento valioso. Pero la mente ha sido creada para servir al espíritu humano, no para eclipsarlo. El espíritu, en armonía con las energías creativas que vibran bajo la superficie de la tierra, determina el comportamiento de modo mucho más rápido y efectivo que el ego con su lento razonamiento lineal.

Observad el rico y asombroso mundo que os rodea prescindiendo de ese razonamiento y superando vuestra individualidad. En todo momento, tenéis a vuestro alrededor la información que necesitáis. Siempre os rodea la verdad de lo que es. Cuando os relajéis y adquiráis una conciencia más profunda de nuestra especie, perderéis el miedo. Entonces nos sentiréis a vuestro alrededor, cooperando con vosotros y dispuestos a serviros de guía en el mundo que habéis elegido.

Bibliografía

Andrews, Ted – *Animal-Speak: The Spiritual & Magical Powers of Creatures Great & Small*. Llewellyn Publications. St. Paul MN. USA, 1993.

Andrews, Ted – *Animal-Wise: The Spirit Language and Signs of Nature*. Dragonhawk Publishing. Jackson TN. USA, 1999.

Andrews, Ted – *Nature-Speak - Signs, Omens and Messages in Nature*. Dragonhawk Publishing. Jackson TN. USA, 2004.

Aracil, Miguel – *Hadas, gnomos, sílfides, ondinas*. Ediciones Karma 7. Barcelona, 2001.

Bailey, Alice A. – *Tratado sobre los Siete Rayos*. Sirio, Málaga, 1996.

Bécquer, Gustavo Adolfo – *Rimas y Leyendas*. EDAF, Madrid, 1970.

Beltrán Anglada, Vicente – *Los ángeles en la vida social humana*. C.S.G. Ediciones, Caracas, 1994.

Beltrán Anglada, Vicente – *Los ángeles y la estructuración dévica de las formas*. C.S.G. Ediciones, Caracas, 1994.

Brasey, Edouard – *El Universo Feérico*. J. de Olañeta, Palma de Mallorca, 2003.

Brasey, Edouard – *Enanos y gnomos*. J. de Olañeta, Palma de Mallorca, 2000.

Brasey, Edouard – *Gigantes y dragones*. J. de Olañeta, Palma de Mallorca, 2001.

Brasey, Edouard – *Hadas y elfos*. J. de Olañeta, Palma de Mallorca, 2000.

Brasey, Edouard – *Sirenas y ondinas. El universo Feérico*. J. de Olañeta, Palma de Mallorca, 2000.

Briggs, Katharine – *Cuentos populares británicos*. J. de Olañeta, Palma de Mallorca, 1996.

Briggs, Katharine – *Diccionario de las hadas*. J. de Olañeta, Palma de Mallorca, 1992.

Briggs, Katharine – *Hadas, duendes y otras criaturas sobrenaturales. Quién es quién en el mundo mágico*. J. de Olañeta, Palma de Mallorca, 1997.

Callejo, Jesús – *Duendes*. EDAF, Madrid, 1994.

Callejo, Jesús – *Gnomos*. EDAF, Madrid, 1996.

Callejo, Jesús – *Hadas – Guía de los seres mágicos de España*. EDAF, Madrid, 1995.

Callejo, Jesús – *Historia mágica de las flores*. Martinez Roca, Barcelona, 1999.

Callejo, Jesús – *Seres mágicos*. EDAF, 1999.

Callejo, Jesús – *Seres y lugares en los que usted no cree*. Editorial Complutense, Madrid, 1995.

Carey, Ken – *La vuelta de las tribus pájaro*. Sirio, Málaga, 1990.

Carey, Ken – *Visión*. Sirio, Málaga, 1990.

Castaneda, Carlos – *Viaje a Ixtlan*. Fondo de Cultura Económica, México, 1980.

Conan Doyle, Arthur — *El misterio de las hadas*. J. de Olañeta, Palma de Mallorca, 2004.

Cooper, J.C. — *Cuentos de hadas, alegorías de los mundos internos*. Sirio, Málaga, 1986.

Evans-Wentz, W.Y. - The *Fairy Faith in Celtic Countries: The Classic Study of Leprechauns, Pixies, and Other Fairy Spirits*. Citadel Press, New York, 2003.

Flores del Manzano, Fernando — *Mitos y leyendas de la alta Extremadura*. Editora Regional de Extremadura, 1998.

Fulcanelli — *El misterio de las catedrales*. Plaza y Janés, Barcelona, 1994.

Fulcanelli — *Las moradas filosofales*. Ediciones Índigo, Barcelona, 2002.

Hall, Michael — *Hadas, duendes elfos y demás gente menuda*. Edicomunicación, Barcelona, 1993.

Heath, Jennifer — *Diosas y hadas*. Ediciones B., Barcelona, 2001.

Leadbeater, C.W. — *Los espíritus de la Naturaleza*. Editorial Sirio, Málaga, 1983.

Leadbeater, C.W. *Protectores invisibles*. Editorial Sirio, Málaga, 1993.

Lenihan, Eddie - *Meeting the Other Crowd: The Fairy Stories of Hidden Ireland*. Jeremy P. Tarcher, New York, 2003.

Maclean, Dorothy — *Comunicación con los Ángeles y los Devas*. Errepar, Buenos Aires, 1996.

Martín, Teresa — *Vida, secretos y costumbres del mundo encantado de las hadas*. Editorial Óptima, Barcelona, 2003.

Moreta, M. Ángel — *Supersticiones populares andaluzas*. Ed. Arguval, Málaga, 1993.

Phillpotts, Beatrice — *El mundo mágico de las hadas*. Montena, Barcelona, 1999.

Roads, Michael J. - *Hablando con la naturaleza*. Editorial Sirio, Málaga, 1991.

Sanchez Dragó, Fernando – *Gárgoris y Habidis. Una historia mágica de España*. Ed. Planeta, Madrid, 1992.

Scott, Ernest – *El pueblo del secreto*. Editorial Sirio, Málaga, 1990.

Sergiev, Gilly – *El mágico mundo de las hadas*. Editorial Edaf, Madrid, 2003.

Thompson, William Irwin – *The Findhorn Garden*. Harper Colophon, New York, 1975.

Trigueirinho. – ERKS. *Un mundo interno*. Editorial Kier, Buenos Aires, 1989.

Índice